JN103536

英語を英語で理解する

英英英単語®
TOEIC® L&R テスト
スコア 990

English vocabulary explained in English

ジャパンタイムズ出版 英語出版編集部＆ロゴポート 編

濵崎潤之輔 監修

英英英単語 SERIES

the japan times 出版

はじめに

本書は、『英語を英語で理解する 英英英単語®』シリーズの続編です。そして続編であると同時に、TOEIC® L&Rテストでスコア990を狙うカギとなる800語を取り上げた、TOEIC対策に特化した単語集でもあります。ちまたには無数のTOEIC用の単語集があります。そうした単語集と本書には、どんな違いがあるのでしょうか。

ご存じのように、TOEIC® L&Rテストの特にPart 3, 4, 7では、ほとんどの場合、正解の手がかりとなるパッセージ中の言葉が、選択肢で別の語句や表現に言い換えられています。例えばパッセージ中のboots（ブーツ）が、選択肢でfootwear（履き物）と言い換えられる、という具合です。なぜ、こうした言い換えがなされるのでしょう。それは、もし選択肢でパッセージと同じ語句が使われていたら、内容がわからなくても、同じ語句を探せば正解できてしまうからです。逆に言えば、「言い換えを見抜ける力こそ、テストでハイスコアを取るために不可欠だ」ということになります。

一方、『英英英単語®』シリーズの最大の特徴は、英英辞典のように、英語で見出し語の語義説明をしている点にあります。そしてこの「英語による見出し語の語義説明」とは、まさに「言い換え」のことだと言うことができます。例えば、本書ではcruise（遊覧航海、クルーズ）をa trip taken on a boat that visits many places（多くの場所をめぐる船旅）と説明していますが、この説明はまさに、cruiseの、平易な言葉を使った「言い換え」だと言うことができるでしょう。実際TOEIC® L&Rテストにおいて、パッセージ中のcruiseが、選択肢でa trip taken on a boatなどと言い換えられることは十分にありえることでしょう。つまり、本書で単語を学習するということは、テストでハイスコアを取るのに必要な「言い換えを見抜く力を養うこと」そのものなのです。

見出し語の選定にあたっては、これまでに日本、韓国で刊行されている公式問題集のデータベースを活用し、さらに長年TOEIC® L&Rテストを受験、研究されている監修者・濵﨑潤之輔氏の知見も加味しました。また、一部既刊と重複する見出し語では、英語による語義説明は基本的に既刊のものを使っていますが、例文はすべてTOEICで出題される文脈のものを新たに作成しています。そして既刊同様、学習効率の向上のために見出し語の訳語、例文の和訳を示し、必要に応じて語法や語源情報も掲載しています。類義語、反意語、派生語などを含め、収録語数は約2,150語句です。

本書が読者の皆さまの語彙力向上、ひいてはTOEIC® L&Rテストのスコアアップの一助になれば、これにまさる喜びはありません。

編者

目次

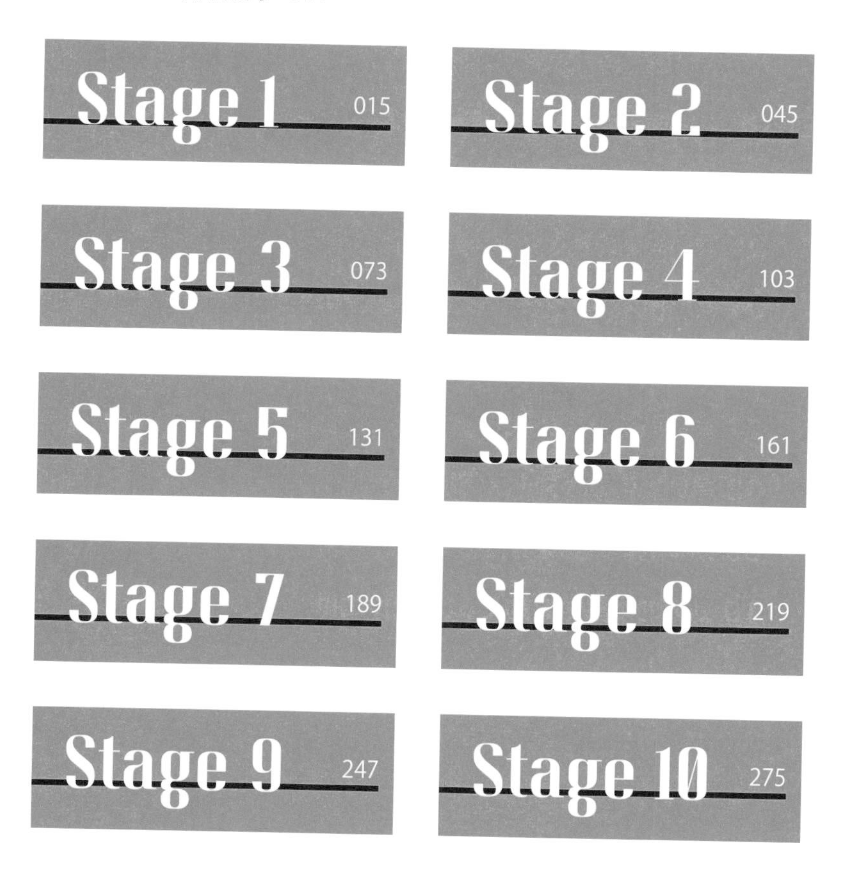

COLUMN　スコア990への道

ナレーション：Josh Keller（米）／Emma Howard（英）
録音・編集：ELEC録音スタジオ
音声収録時間：約3時間10分
カバー・本文デザイン：竹内雄二
イラスト：矢戸優人
DTP組版：株式会社 創樹

本書の構成

本書では、TOEICスコア900獲得のカギとなる800語を、80語ずつ10のSTAGEに分けて掲載しています。

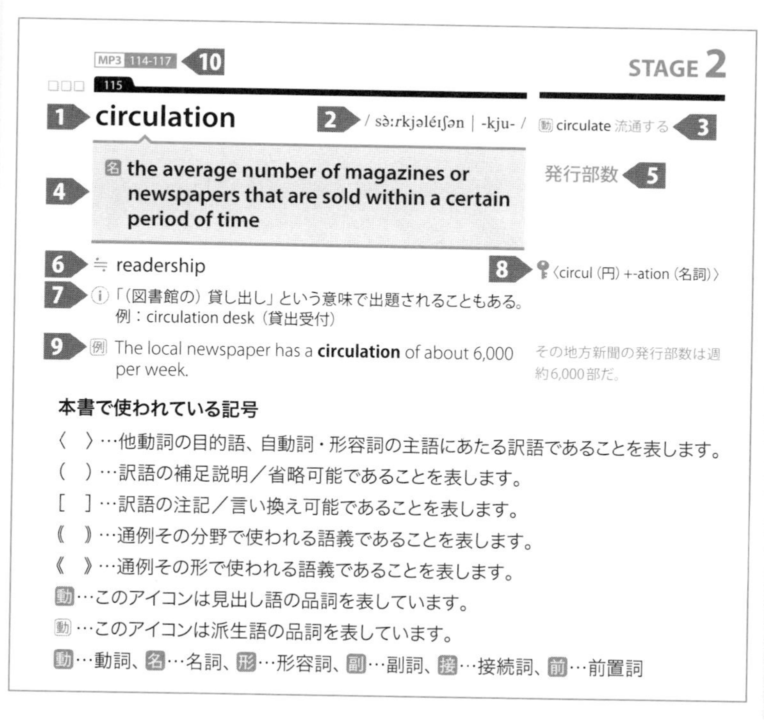

MP3 114-117 10

STAGE 2

□□□ 115

1 circulation 2 / sə̀:rkjəléɪʃən | -kju- /

動 circulate 流通する 3

4 名 the average number of magazines or newspapers that are sold within a certain period of time

発行部数 5

6 ≒ readership

8 〈circul (円) +-ation (名詞)〉

7 ⓘ「(図書館の) 貸し出し」という意味で出題されることもある。
例：circulation desk（貸出受付）

9 例 The local newspaper has a **circulation** of about 6,000 per week.

その地方新聞の発行部数は週約6,000部だ。

本書で使われている記号

〈　〉…他動詞の目的語、自動詞・形容詞の主語にあたる訳語であることを表します。

(　)…訳語の補足説明／省略可能であることを表します。

[　]…訳語の注記／言い換え可能であることを表します。

《　》…通例その分野で使われる語義であることを表します。

《　》…通例その形で使われる語義であることを表します。

動…このアイコンは見出し語の品詞を表しています。

動…このアイコンは派生語の品詞を表しています。

動…動詞、名…名詞、形…形容詞、副…副詞、接…接続詞、前…前置詞

1 見出し語

米つづりを採用しています。英つづりが異なる場合は注記に挙げています。

2 発音記号

米英の発音を採用しています。米英で発音が異なる場合は、|の後ろに英発音を示しています。本書に掲載した品詞の発音のみを挙げています。

3 派生語

見出し語と派生関係にある語を掲載しています。

4 品詞と英語の語義説明

見出し語の品詞を示し、語義を英語で説明しています。TOEICに頻出の語義を厳選して掲載しています。

※大きく語義の異なるものは一般の辞書では別見出しにすることがありますが、本書では適宜1つの見出しにまとめています。

※語義説明では英英辞典にならい、総称人称のyou（人一般を表すyou）、singular they（he or sheの代用）を使っている場合があります。

5 訳語

見出し語の訳語です。赤フィルターで隠すことができます。

6 類義語と反意語

≒の後ろに掲載されているのは見出し語の類義語、⇔の後ろに掲載されているのは見出し語の反意語です。

7 注記

ⓘの後ろには、TOEICの出題傾向、見出し語の語法、関連語、発音・アクセントの注意事項など、幅広い補足情報を掲載しています。

8 語源

🔑の後ろには、語源に関する情報を掲載しています。

9 例文と訳

見出し語を使った例文とその訳です。英文中の見出し語相当語は太字になっています。訳は赤フィルターで隠すことができます。

10 音声のトラック番号

付属音声には各項目の見出し語、英語の語義説明、例文（英文）が収録されています。音声はアプリまたはPCでダウンロードすることができます。ご利用方法は014ページをご覧ください。

章末ボキャブラリーチェック

各STAGEの終わりに、確認のための問題を用意しています。赤フィルターでページを隠し、本文にあった語義説明（複数ある場合は1つ目の語義）を見て、1文字目のヒントを参考に見出し語を答えましょう。間違えた場合は元のページに戻って復習しましょう。

TOEICの頻出語を「英語のまま理解する」

濵﨑潤之輔
Junnosuke Hamasaki

本書を手にしてくださった方の多くは、すでにTOEIC® L&Rテストである程度高いスコアを取得されていることと思います。しかし、本書はそのスコアをさらに一歩伸ばす強力なツールになるでしょう。

本書は見出し語と例文の意味、そしてワンポイント解説に日本語を使用していますが、それ以外のところではすべて「英単語を英語のまま学ぶ」ことができるように構成されています。

例えば、TOEIC® L&Rテストによく登場するmentorという単語を見てみましょう。

mentor

名 **someone who provides guidance and teaching**

≒ guide, advisor

mentorの意味を英語ですぐに説明できる人はあまり多くはないでしょう。逆に「メンター」という日本語なら知っているという人は少なくないと思います。では、「メンター」とはどういう人のことでしょう。あなたなら日本語でどのように説明しますか?

なんとなく、「指導役となる先輩社員で、後輩や新入社員の面倒を見る人のこと」だという感じのことは説明できるかもしれません。ですが、TOEIC® L&Rテストでは、このようなことをごちゃごちゃ考えているヒマはありませんし、うろ覚えの日本語への変換は文意を取るときに微妙なミスを生む危険もあります。

また、英語を日本語に訳してから考えるというクセがつくと、〈英語 → 日本語〉の変換を行う「コンマ数秒」の時間のロスが常に生じてしまいます。

こうしたことを防ぐためには、最初から単語を「シンプルで理解しやすい」最小限の長さの英語の定義で、つまり英英辞書で説明されているような定義で頭に入れるようにしてしまえばいいのです。

先の定義をもう一度見てみましょう。mentorとはズバリ、someone who provides guidance and teaching（指導や教えを提供してくれる人）のことです。

このように理解しておくと、どんなメリットがあるでしょうか。

TOEIC® L&RテストのPart 3（会話問題）、Part 4（説明文問題）、そしてPart 7（読解問題）では、問題文中の正解につながる箇所において「具体的な」表現が使われ、それが選択肢で「抽象的な」表現に言い換えられている、というケースが非常に多いのですが、選択肢の表現が本当に「正解につながる箇所」の言い換えになっているのか判断に迷うことが少なくありません。

しかし、本書では見出し語がテストの「問題文中に出てくる表現」となり、英語による定義が選択肢で行われる「言い換え」のヒントとなるケースが非常に多く、本書で学習すると、こうした言い換えに自信をもって対処できるようになります。

例えばMr. Martinez is Mr. Takahashi's mentor.（Martinezさんは Takahashiさんのメンターだ）という表現を含む問題文に対して、What is suggested about Mr. Martinez?（Martinezさんについてどんなことがわかりますか）という問題が出題された場合、He provides guidance for his colleague.（彼は同僚に指導を与えている）という選択肢があれば、これが正解になり得ます。英英の定義にあるprovide guidanceという表現を覚えていれば、簡単ですよね。

また、TOEIC® L&Rテストでは、毎回、Part 7（読解問題）に1～3問程度の「言い換え問題」が出題されます。

In the e-mail, the word "mentor" in paragraph 1, line 1, is closest in meaning to
(Eメールの第1段落・1行目にある"mentor"に最も意味が近いのは)

(A) advisor　(B) doctor　(C) student　(D) mayor

このような問題が出題され、mentorが問題文の中でどのような意味で使われているのかを解答します。

上記の類義語を覚えていれば、正解が(A)のadvisorであることは明らかですね。本書では見出し語の定義を英語で提示しているだけでなく、TOEIC® L&Rテストに登場するレベルの類義語や対義語も一緒に紹介しているため、このタイプの問題を解答する際にもそれらが確実に役に立つことでしょう。

そして何よりも、本書で学ぶ最も大きな利点は、「極力日本語を排した状態」で学習を進めることができる点にあります。

言うまでもなく、本番のTOEIC® L&Rテストの問題には英語しか載っていません。本番で英語だけで作成されている問題を解答するのですから、ふだん学習するときもできる限りそれに近い状態で学習するに越したことはありません。

厳選した見出し語と英語による定義はもちろんのこと、類義語、対義語、そして見出し語にまつわるワンポイント解説まで、ぜひ、本書の隅々までお読みいただき、ご自身の糧としていただければ幸いです。

頑張っていきましょう。

応援しています。

本書を使った効果的な学習法

本書を使った学習法をいくつかご紹介します。これらを参考に進めていきましょう。

1 「言い換え」を意識して読み進める

〈見出し語➡語義説明➡例文〉の順番に読んでいきます。見出し語はTOEIC® L&Rテストの「問題文中に出てくる表現」、語義説明は「選択肢で言い換えられる表現」になる可能性があることを意識しながら学習しましょう。

2 赤フィルターを使って英語だけで読み進める

本番のテストに近い形で、英語だけで学習する方法もあります。赤フィルターで日本語部分を隠し〈見出し語➡語義説明➡例文〉の順に読み進めましょう。訳は確認に使います。1、2のどちらも、音声を聞いて、自分でも発音してみると、より内容が身につきます。

3 章末ボキャブラリーチェックを繰り返し解く

章末ボキャブラリーチェックでは、語義説明を読んで見出し語が正確に言えるかを確認します。語義説明を何度も読むことは、言い換えを見抜く力の強化につながります。完璧に正解できるようになるまで、繰り返し解きましょう。

4 コラムを参考にテストへの対応力を鍛える

章末コラムを参考に、TOEIC® L&Rテストに頻出の言い換えのパターンを頭に入れましょう。どんなパターンがあるか事前にわかっていれば、類推力も働きます。また、接頭辞・接尾辞や語根の知識を増やすと、効率的に単語を覚えられるようになります。

音声のご利用案内

本書の音声は、スマートフォン(アプリ)やパソコンを通じてMP3形式でダウンロードし、ご利用いただくことができます。

スマートフォン

1. ジャパンタイムズ出版の音声アプリ「OTO Navi」をインストール

2. OTO Naviで本書を検索

3. OTO Naviで音声をダウンロードし、再生

３秒早送り・早戻し、繰り返し再生などの便利機能つき。学習にお役立てください。

パソコン

1. ブラウザからジャパンタイムズ出版のサイト
「BOOK CLUB」にアクセス
https://bookclub.japantimes.co.jp/book/b593091.html

2. 「ダウンロード」ボタンをクリック

3. 音声をダウンロードし、iTunesなどに取り込んで再生

※音声はzipファイルを展開(解凍)してご利用ください。

Stage 1

There's no time like the present.
思い立ったが吉日。

□□□ 001

explore

/ ɪksplɔ́ːr /

名 exploration 探検、探索

動 ① to study something to try to learn more about it

～を調査する、検討する

≒ examine, research

〈ex-（外に）+plore（叫ぶ）〉

例 We must **explore** all possible options in order to make an informed decision.

十分な情報に基づいた決定を下すためには、あらゆる選択肢を検討する必要がある。

② to travel to or in a place to learn about it or find something

～を探検する

例 Natalie spent her summer **exploring** the Midwest.

Natalieは中西部を探索して夏を過ごした。

□□□ 002

artifact

/ áːrtəfækt /

名 a simple object, usually with historical or cultural significance, made by people in the past

（歴史的価値のある）手工芸品

ⓘ イギリス英語ではartefactともつづる。

例 The museum has over 100 Mayan **artifacts** on display.

その博物館には100を超すマヤの工芸品が展示されている。

□□□ 003

sustain

/ səstéɪn /

形 sustainable 持続可能な
名 sustenance 生命の維持

動 to provide the things needed for something or someone to exist or continue

～を維持する

≒ preserve, bolster

⇔ hinder, deny

〈sus-（下から）+tain（保つ）〉

例 **Sustaining** public interest in the waste management project is essential to its success.

廃棄物管理のプロジェクトを成功させるためには、人々の関心を維持することが不可欠だ。

□□□ 004

outreach

/ áʊtrìːtʃ /

名 **the process of getting information or services to people**

（地域社会などに手を差し伸べる）支援活動

ⓘ reach out（(困っている人に) 手を差し伸べる）からできた語。

例 More effective **outreach** programs are needed to help the homeless community.

ホームレスのコミュニティを援助するには、より効果的な支援プログラムが必要だ。

□□□ 005

outage

/ áʊtɪdʒ /

名 **the stopping of something such as electricity**

（電力・水道などの）供給停止

≒ blackout

例 The recent typhoon caused power **outages** across the city.

最近の台風により、市内全域で停電が発生した。

□□□ 006

cutting-edge

/ kʌ́tɪŋèdʒ /

形 **at the most recent and advanced stage in the development of something**

最先端の

≒ high-tech, state-of-the-art

例 Using **cutting-edge** technologies, scientists hope to create better treatment options for diabetes.

科学者たちは、最先端の科学技術を使うことで、糖尿病のよりよい治療の選択肢を作りたいと考えている。

□□□ 007

streamline

/ stríːmlàɪn /

動 **to make something easier and more effective to do**

～を簡素化する､効率化する

≒ simplify

例 In order to **streamline** company operations, they decided to revise their remote work policy.

会社の業務を効率化するため、彼らはリモートワークの方針を見直すことにした。

□□□ 008

retreat

/ rɪtríːt /

名 **a trip to a place to do something like pray or study that is usually done in small groups**

旅行、研修会

ⓘ この意味ではcompany［staff］retreatの形で使われることが多い。

〈re-（後ろに）+treat（引く）〉

例 For this year's company **retreat**, we will be spending three days in the Japanese Alps.

今年の社員旅行では、日本アルプスで3日間過ごす。

□□□ 009

faucet

/ fɔ́ːsət /

名 **the item that you turn on and off to control the flow of water from a pipe**

蛇口

例 A leaking **faucet** can cost you hundreds of dollars per year.

蛇口の水漏れは、年間数百ドルの出費になる可能性がある。

□□□ 010

firsthand

/ fə́ːrsthǽnd /

形 **coming directly from actual experiences**

直接の

≒ direct　⇔ indirect, secondhand

ⓘ「直接に」という副詞の意味もある。

例 Henry has **firsthand** experience organizing fundraisers, so he's perfect for the assignment.

Henryは募金活動を自ら組織した経験があるので、その任務に最適だ。

□□□ 011

marvelous

/ mɑ́ːrvələs /

動 marvel 驚く

形 **very good or enjoyable**

驚くべき、素晴らしい

≒ wonderful, fantastic　⇔ terrible

ⓘ イギリス英語ではmarvellousとつづる。

例 He does a **marvelous** job of recreating the beauty of the sea in his painting.

彼は絵で海の美しさを再現するという素晴らしい仕事をしている。

□□□ 012

bustling

/ bʌ́sliŋ /

名 bustle ざわめき、喧騒

形 being busy with activity

にぎやかな、騒がしい

例 Montreal became a **bustling** city under the influence of the fur trade.

モントリオールは毛皮貿易の影響でにぎやかな都市になった。

□□□ 013

assess

/ əsés /

名 assessment 評価、査定

動 to say the amount or value of something officially

～を査定する

≒ judge, evaluate

例 The test is designed to accurately **assess** all required French language skills.

そのテストは、必要なすべてのフランス語のスキルを正確に評価するように設計されている。

□□□ 014

publicity

/ pʌblísəti /

動 publicize ～を宣伝する
名 publicist 広報担当者

名 ① the activity or business of getting people to pay attention to someone or something

広告、宣伝

≒ advertising, PR

例 The government started a **publicity** campaign to educate people on the tax benefit.

政府は、税制上の優遇措置を周知するための宣伝活動を始めた。

② (something that attracts) people's attention, especially to a product

注目、評判

例 Their product received a lot of positive **publicity**, which increased sales significantly.

彼らの製品は大いに好評を博し、売上を大幅に伸ばした。

□□□ 015

concierge

/ kɑ̀ːnsiéərʒ | kɔ́nsieəʒ /

名 **a person who works at a hotel whose job is to help guests by giving them information and making arrangements for them**

（ホテルの）コンシェルジュ

例 After arriving, the couple consulted the **concierge** about where they could get the best Italian food in town.

到着すると、その夫婦は町でどこに行ったら最高のイタリア料理を食べられるかコンシェルジュに相談した。

□□□ 016

spectator

/ spékteɪtər | spektéɪtər /

名 spectacle 壮観
形 spectacular 壮大な、目を見張る

名 **a person who is watching an event or game, especially sports**

観客、見物人

例 The **spectators** cheered loudly when the home team scored a point.

ホームチームが得点すると、観客は大きな歓声を上げた。

□□□ 017

inferior

/ ɪnfíəriər /

名 inferiority 劣等

形 **of low quality or rank**

劣る、下位の

⇔ superior, higher

ⓘ inferior to（〜より劣った）の形も押さえておこう。

例 This leather is without a doubt **inferior** in quality compared to ours.

この革は間違いなくわが社の革に比べて品質が劣っている。

□□□ 018

enlarge

/ ɪnlɑ́ːrdʒ /

名 enlargement 拡大

動 **to make something bigger or become bigger**

（〜を）拡大する、拡張する

≒ expand　⇔ shrink

例 The restaurant kitchen was renovated and **enlarged** to allow for a smoother cooking experience.

そのレストランの厨房は、料理がよりスムーズにできるように改装、拡張された。

□□□ 019

exclusive

/ ɪksklúːsɪv /

副 exclusively 独占的に
動 exclude ～を除外する
名 exclusion 排除

形 ① **available to only one person or group**

排他的な、独占的な

≒ private

⇔ shared, inclusive

〈ex-（外に）+clus（閉じる）+-ive（形容詞）〉

例 The company won **exclusive** rights to stream that movie on their service.

その会社は、その映画を自社のサービスでストリーミングする独占権を獲得した。

② **only available to a limited number of people because of high cost or social status**

高級な、富裕層専用の

例 First-class passengers have access to an **exclusive** airport lounge.

ファーストクラスの乗客は、専用の空港ラウンジを利用できる。

□□□ 020

occupancy

/ ɑ́ːkjəpənsi | ɔ́k- /

動 occupy ～を占める
形 occupied 〈場所などが〉ふさがって

名 **the number of people in a building or room at the same time**

（ホテルなどの）稼働率

例 The hotel must maintain at least 35% **occupancy** at all times to be profitable.

ホテルが利益を出すには、常に少なくとも35%の稼働率を維持する必要がある。

□□□ 021

reluctant

/ rɪlʌ́ktənt /

副 reluctantly いやいや
名 reluctance 気が進まないこと

形 **feeling or showing a desire not to do something (yet)**

気乗りがしない、しぶしぶの

≒ hesitant

⇔ willing, eager

例 They were **reluctant** to accept the changes in leadership at their company.

彼らは会社の首脳陣の変更を受け入れることに消極的だった。

□□□ 022

execute

/ éksəkjùːt /

名 execution 実行

動 **to carry out a plan or orders**

〈計画・義務など〉を実行する

≒ implement

〈ex-（外に）+ecute（追う）〉

例 In order to **execute** their business plan, they needed to receive support from the bank.

事業計画を実行するために、彼らは銀行からの支援を受ける必要があった。

□□□ 023

confine

/ kənfáɪn | kɔ́n- /

動 **to make someone or something stay within a certain area, limit, etc.**

～を制限する

≒ constrain

〈con-（共に）+fine（限界）〉

例 The work done on the new waterworks project will be **confined** to the northern part of the city.

新しい水道プロジェクトで行われる作業は、市の北部に限定される。

□□□ 024

diverse

/ dəvə́ːrs | daɪ- /

名 diversity 多様性
動 diversify ～を多様化する

形 **very different from one another and of different kinds**

多様な

≒ varied, various

⇔ identical

〈di-（離れて）+verse（向ける）〉

例 The lawyer worked tirelessly to meet the **diverse** needs of all of his clients.

その弁護士は、すべての顧客の多様なニーズに応えるためにたゆまぬ努力をした。

□□□ 025

prevail

/ prɪvéɪl /

形 prevalent 普及している
名 prevalence 普及

動 **to be common or popular**

普及している

〈pre-（～より）+vail（強い）〉

例 That hairstyle **prevailed** in the 1980s.

その髪型は1980年代にはやった。

□□□ 026

accessible

/ æksésəbl /

形 ① **able to be entered, reached, etc.**

〈場所が〉到達できる、行ける

〈ac-（～に）+cess（行く）+ -ible（できる）〉

例 Seoul is easily **accessible** by public transportation.

ソウルは公共交通機関で簡単にアクセスすることができる。

② **easy to get or use**

入手できる、利用できる

⇔ inaccessible

例 Their Web site was redesigned to make it more **accessible**.

彼らのウェブサイトは、より使いやすいように設計し直された。

□□□ 027

ballroom

/ bɔ́:lrù:m /

名 **a very large room used for formal dances and sometimes other formal events**

（広い）舞踏室、ダンス場

ⓘ このballは「ボール」ではなく「ダンスパーティー、舞踏会」の意味。

例 Every year a dance fundraiser is held in the **ballroom** of the hotel.

毎年、そのホテルの舞踏場でダンス募金活動が行われる。

□□□ 028

aisle

/ áɪl /

名 **a sometimes long passage between rows of seats or between rows of shelves**

通路

ⓘ 発音に注意。

例 The **aisles** are only big enough for one person to pass through at a time.

その通路は一度に1人しか通れない広さだ。

□□□ 029

acknowledge

/ əknɑ́:lɪʤ | -nɔ́l- /

形 acknowledged 広く認められた
名 acknowledgment 承認

動 ① to say that you accept that something is true

～を認める

≒ admit ⇔ reject, deny

ⓘ「〈手紙・贈り物など〉を受け取ったことを知らせる」という意味もある。

〈ac-（～に）+know（知る）+ledge（行為）〉

例 The government has finally **acknowledged** their responsibility in the building collapse.

政府はついにビル崩壊における自らの責任を認めた。

② to accept that someone or something has a certain status or authority

〈人（の権威など）〉を承認する

≒ recognize, endorse

例 Dr. Pearl is widely **acknowledged** as one of the world's top cancer researchers.

Pearl博士は、世界でトップクラスのがん研究者の一人として広く認められている。

□□□ 030

decent

/ dí:snt /

名 decency 上品さ

形 good or appropriate

適正な、まともな

≒ suitable, proper

⇔ inappropriate, improper

例 Given the price, the options available at the restaurant were **decent**.

値段を考えると、そのレストランで食べられるものはまっとうなものだった。

□□□ 031

scope

/ skóʊp /

名 the range of an area that is included in or handled by something

範囲

≒ breadth, sphere

例 The **scope** of the renovation project was too much for the small company to manage.

改修プロジェクトの範囲は、その小さな会社が管理するには大きすぎた。

□□□ 032

statistics

/ stətístɪks /

形 statistical 統計の

名 **a set of information shown in numbers**

統計

例 **Statistics** show successful businesses spend 40% of their marketing budget on content marketing.

統計によると、成功している企業はマーケティング予算の40%をコンテンツマーケティングに費やしている。

□□□ 033

soar

/ sɔ́ːr /

動 **to rise very quickly to a high amount, level, or price**

〈物価・利益などが〉急騰する、急増する

≒ jump, surge, skyrocket, leap

⇔ plummet

例 The price of gas **soared** after the pipeline accident.

パイプライン事故のあと、ガスの価格は高騰した。

□□□ 034

supplement

/ 動 sʌ́pləmènt 名 sʌ́pləmənt /

形 supplementary 補足の、追加の

動 **to add something to another thing to make it complete**

～を補う、補足する

≒ complement

⇔ detract

〈sup-（下に）+ple（満たす）+-ment（名詞）〉

例 She **supplements** her income by doing writing jobs online.

彼女はオンラインでライターの仕事をすることで収入を補っている。

名 **something that you add to another thing to finish it or make it complete**

補足

ⓘ「栄養補助食品、サプリ」という意味もある。

例 This textbook is a **supplement** to what has already been discussed in the lecture.

この教科書は、講義ですでに議論されたことを補足するものだ。

□□□ 035

donation

/ doʊnéɪʃən | dəʊ- /

名 **something that is given to a person or organization to help them**

寄付

動 donate ～を寄付する

ⓘ「寄付されたもの（特にお金）」という意味もある。

🔑〈don（与える）+-ation（名詞）〉

例 Mr. Douglas made a **donation** of $15,000 to the local homeless shelter prior to his death.

Douglasさんは、亡くなる前に地元のホームレス保護施設に1万5,000ドルの寄付をした。

□□□ 036

dimension

/ dɪménʃən | daɪ- /

名 **the length, width, height, or depth of something**

寸法

≒ measurement

例 Please be sure to measure the **dimensions** of the room accurately to ensure that all your furniture will fit.

すべての家具が間違いなく収まるように、部屋の寸法を必ず正確に測定してください。

□□□ 037

boost

/ búːst /

動 **to make something increase or become better**

～を増やす、高める

≒ improve ⇔ diminish, lessen

ⓘ「〈士気など〉を高める」という意味でも使われる。

例 The company was able to **boost** sales by about 20% in the second quarter.

その会社は第2四半期に売上を約20%増加させることができた。

名 **an increase in the amount of something**

増加

≒ rise ⇔ fall

例 There has been a **boost** in participation in this programming training course recently.

最近、このプログラミング訓練コースに参加する人が増えている。

038

optional

/ á:pʃənl /

名 option 選択肢

形 available to use or do as a choice but not required

任意の

≒ voluntary

⇔ compulsory, mandatory

🔑〈opt（選ぶ）+-ional（形容詞）〉

例 Paying for an extended warranty is **optional**, but highly recommended for expensive items.

延長保証の支払いは任意ですが、高額商品には強くお勧めします。

039

residential

/ rèzədénʃəl | rèzɪ- /

名 residence 住宅、居住地
名 resident 居住者、住民
動 reside 住む

形 mostly containing places where people live instead of offices, factories, etc.

住宅の

⇔ commercial, industrial

例 The Blue Line train travels through a quiet **residential** area.

Blue Lineの列車は静かな住宅街を通る。

040

dedicated

/ dédɪkèɪtɪd /

動 dedicate ～をささげる
名 dedication 献身、専念

形 ① working hard to do something because it is important to you

献身的な、熱心な

≒ committed

ⓘ be dedicated toの形のあとには（動）名詞がくる。be devoted to, be committed toはほぼ同じ意味。

例 **Dedicated** volunteers were the driving force behind the success of the event.

献身的なボランティアたちがイベントの成功の原動力となった。

② made or used for only one purpose

専用の、特化した

⇔ multipurpose

ⓘ 名詞の前で使う。

例 There are **dedicated** lanes for buses in the city.

市内にはバス専用レーンがある。

□□□ 041

cruise

/ krúːz /

名 **a trip taken on a boat that visits many places**

遊覧航海、クルーズ

ⓘ「巡行する」という動詞の意味もある。

例 The couple decided to go on a Caribbean **cruise** for their honeymoon.

そのカップルは新婚旅行でカリブ海クルーズに行くことにした。

□□□ 042

heritage

/ hérətɪʤ /

名 **the traditions and other parts of the history of a group or nation**

遺産、伝統

≒ legacy

例 Much of the cultural **heritage** of the Iroquois has been lost.

イロコイ族の文化遺産の多くは失われた。

□□□ 043

attribute

/ 動 ətríbjuːt 名 ǽtrəbjùːt /

名 attribution 帰属；属性

動 **to say that one thing is because of something or someone else**

～を（…に）帰する、（…に）よるものだと考える

≒ credit, blame

ⓘ 動詞のアクセントはriの位置。〈attribute A to B〉（AをBのためだとする）の形で使う。

〈at-（～に）+tribute（割り当てる）〉

例 Victor Barns **attributes** his early success to the support of his family.

Victor Barnsは、彼の初期の成功は家族の支えによるものだと考えている。

名 **a normally good quality that someone or something has**

特質、特性

≒ characteristic, trait

例 The young author was asked to describe his best **attribute** in the interview.

その若い著者はインタビューで、自らの一番の長所について説明するよう求められた。

□□□ 044

inhabit

/ ɪnhǽbət /

名 inhabitant 住民

動 to live in a place

〜に住んでいる、居住する

≒ reside, populate

〈in-（中に）+habit（保つ）〉

i 他動詞である点に注意。進行形にはしない。

例 The animals that **inhabit** this area are protected by strong laws.

この地域に生息する動物は、強力な法律によって保護されている。

□□□ 045

render

/ réndər /

動 to make someone or something be a certain way

〜を（ある状態に）する

i 〈render A B〉で「AをBにする」。

例 The landslides last month **rendered** the road unpassable.

先月の地滑りで、その道路は通行不能になった。

□□□ 046

overhead

/ óʊvərhèd /

形 above your head or raised above the ground

頭上の

i 「頭上に」という副詞の意味もあるが、その場合はheadの位置にアクセント。

例 Please put your carry-on luggage in the **overhead** compartment before takeoff.

離陸前に機内持ち込み手荷物を頭上の荷物棚に入れてください。

名 the regular costs you have when running an organization, such as rent

諸経費、間接費

例 Ms. Ito found the **overhead** costs simply too high to start her own business.

Itoさんは、起業するには諸経費がとにかく高すぎることに気づいた。

□□□ 047

administrative

/ ədmínəstrèɪtɪv | -ɪstrə- /

形 **relating to the management of an organization**

管理の

動 administer ～を管理する
名 administration 管理
名 administrator 管理者

≒ managerial

例 Ms. Clark worked as an **administrative** assistant to the university when she was a student.

Clarkさんは学生時代、大学で事務局のアシスタントとして働いていた。

□□□ 048

whereas

/ weəræ̀z /

接 **used to connect two statements that show how something is different**

～であるのに対し

≒ while, although

例 Some of Y Institute's studies have received large amounts of media attention, **whereas** others have not.

Y Instituteの研究の中には、メディアの注目を大いに集めているものもあれば、そうでないものもある。

□□□ 049

flourish

/ flɔ́:rɪʃ | flʌ́rɪʃ /

動 **to grow well or be successful**

成長する、繁栄する

≒ thrive ⇔ decline, wither

〈flour（花）+-ish（動詞）〉

ⓘ ourの発音に注意。

例 Paris has **flourished** as one of the world's major fashion centers for over three centuries.

パリは3世紀以上にわたり、世界のファッションの中心地の一つとして栄えてきた。

□□□ 050

tackle

/ tǽkl /

動 **to deal with something that is not easy**

〈問題など〉に取り組む

≒ address

ⓘ 他動詞である点に注意。ラグビーなどの「タックル」もtackle。

例 K Inc. continues to **tackle** the discrimination problem in their head office.

K社は、本社における差別問題に取り組み続けている。

□□□ 051

qualification

/ kwɑ̀:ləfɪkéɪʃən | kwɔ̀lɪ- /

動 qualify ～に資格を与える
形 qualified 資格のある、適任の

名 ① **a skill or experience that makes someone suited to do a particular job or hold a particular position**

資質、能力

例 Mr. Reynolds' extensive experience in fundraising gives him the **qualifications** he needs to excel in this position.

Reynoldsさんの資金調達における豊富な経験は、この職で秀でるのに必要な資質を彼に与えている。

② **an official record, such as a diploma, degree, or certificate, that shows you have obtained a specific skill or knowledge in a subject**

免許、資格証明書

例 A degree in education is a necessary **qualification** to work at this school.

教育学の学位は、この学校で働くために必要な資格だ。

□□□ 052

oblige

/ əbláɪʤ /

名 obligation 義務
動 obligate ～に義務づける
形 obligatory 義務的な

動 **to make someone or something do something because there is a need or rule**

～を義務づける

≒ compel, force ⇔ release, allow, let off

〈ob-(～に)+lige(結びつける)〉

例 As per company policy, employees are **obliged** to give two weeks notice if they wish to leave their job.

会社の方針により、従業員は退職を希望する場合、2週間前に通知する義務がある。

□□□ 053

gorgeous

/ gɔ́:rʤəs /

形 **very beautiful, attractive, or pleasant**

見事な、素晴らしい

≒ breathtaking ⇔ ugly

例 The Rockefeller Center provides a **gorgeous** view of New York City.

ロックフェラーセンターからは、ニューヨーク市の素晴らしい景色を眺めることができる。

□□□ 054

accommodate

/ əkɑ́ːmədèɪt | -kɔ́m- /

名 accommodation 宿泊設備、収容能力

動 ① **to have room for someone or something**

～を収容できる

≒ contain

例 The national stadium is able to **accommodate** up to 50,000 people.

国立競技場は最大5万人を収容することができる。

② **to give something that is needed or wanted, such as time or consideration**

〈要求など〉に応じる、便宜を図る

例 The Royal Hotel does its best to **accommodate** all guest requests.

Royalホテルは、すべての顧客の要望に応えるために最善を尽くしている。

□□□ 055

halt

/ hɔ́ːlt | hɔ́lt /

動 **to stop the movement of someone or something**

～を停止する

≒ cease

⇔ resume

例 The drink company has **halted** production of its signature soda due to mechanical issues at the plant.

その飲料メーカーは、工場の機械トラブルにより、特製ソーダの生産を停止した。

□□□ 056

tenant

/ ténənt /

名 **an individual, group, or business that pays to use a space that is not owned by them**

入居者

⇔ landlord

〈ten（保持する）+-ant（人）〉

ⓘ subtenantは「また借り人」という意味。

例 We request that all prospective **tenants** submit their applications by September 9.

入居希望者は全員9月9日までに申請書を提出してください。

□□□ 057

exceptional

/ ɪksépʃənl /

前 except ～を除いて
副 exceptionally 並外れて
名 exception 例外

形 ① much better than usual

非常に優れた、並外れた

≒ remarkable, fantastic

⇔ unremarkable, average, normal

例 Xavier Hills is known in the restaurant industry for its **exceptional** customer service.

Xavier Hillsは、その卓越した顧客サービスによりレストラン業界で知られている。

② not common or usual

例外的な、特別な

≒ noteworthy

⇔ commonplace, regular

例 An **exceptional** amount of rain has fallen in the past few days, resulting in flooding.

過去数日間に異常な量の雨が降り、洪水を引き起こした。

□□□ 058

equivalent

/ ɪkwívələnt /

副 equivalently 同等に
名 equivalence 等価；同等物

形 having equal value

〈数量などが〉同等の、相当する

⇔ different

〈equi (等しい) +val (価値) +-ent (形容詞)〉

例 Passport renewal will cost $100 or its **equivalent** amount in local currency.

パスポートの更新には、100ドルまたは現地通貨での同等額がかかる。

□□□ 059

pension

/ pénʃən /

名 an amount of money paid regularly by a company or government to a person who no longer works

年金

例 The job is highly desired thanks to the generous **pension** plan that comes with it.

その仕事は多額の年金制度つきで、非常に好ましい。

059語

□□□ 060

beneficial

/ bènəfíʃəl /

名 benefit 利益、利点
名 beneficiary 受益者

形 having a good or useful effect or improving a situation

有益な

≒ advantageous, favorable

⇔ detrimental

〈bene (よい) +fic (〜にする) +-ial (形容詞)〉

例 Reducing required working hours can be **beneficial** for both productivity and employees' well-being.

必要な労働時間を減らすことは、生産性の面でも従業員の福利の面でも有益だ。

□□□ 061

attendant

/ əténdənt /

動 attend (〜の) 世話をする、〜に随行する

名 a person whose job is to help or serve others in a public place

接客係、案内係

例 Gas station **attendants** have become increasingly unnecessary in recent years.

近年、ガソリンスタンドの接客係はますます不要になっている。

□□□ 062

terminal

/ tə́ːrmənl /

動 terminate 〜を終わらせる

名 a place where passengers can get on and off, such as a bus stop or airport

発着駅、(空港の) ターミナル

ⓘ「(コンピュータの) 端末」という意味もある。

例 There is a free shuttle bus connecting the airport **terminal** to the city center.

空港ターミナルと市内中心部を結ぶ無料のシャトルバスがある。

□□□ 063

fleet

/ flíːt /

名 a group of vehicles or planes that travel together or are owned by the same organization

(1つの運送会社の保有する) 全車両、全航空機

例 Moon Air had to ground its entire **fleet** during the typhoon last fall.

Moon Airは、昨年秋の台風の際、全便を運航停止にしなければならなかった。

064

inexpensive

/ ìnɪkspénsɪv /

形 not costing a lot of money

安い、安価な

≒ cheap

⇔ expensive

例 These headphones are relatively **inexpensive** compared to what is released by our competitors.

このヘッドホンは、競合他社が発売しているものと比べて比較的安価だ。

065

railing

/ réɪlɪŋ /

名 a barrier made using posts that support a bar across them

手すり

≒ handrail

例 Please ensure that you hold onto the **railing** while walking up and down the stairs.

階段を上り下りするときは、必ず手すりをしっかりと握ってください。

066

initiate

/ ɪníʃièɪt /

形 initial 初めの
名 initiation 開始
名 initiative 主導権、構想

動 to make something start

〜を始める、〜に着手する

例 The government has **initiated** a public research project together with M Inc.

政府はM社と共同で公的研究プロジェクトを開始した。

067

spectacular

/ spektǽkjələr /

名 spectacle 壮観
名 spectator 観客、見物人

形 very impressive

壮大な、目を見張る

≒ fantastic, amazing

⇔ unimpressive

ⓘ gorgeous（素晴らしい）、panoramic（広大な）、breathtaking（息をのむような）も近い意味の語。

例 The hotel boasts some of the most **spectacular** ocean views in South America.

そのホテルは南アメリカで最も壮観なオーシャンビューを売りにしている。

□□□ 068

adequate

/ ǽdɪkwət /

副 adequately 十分に；適切に
名 adequacy 妥当（性）、適切さ

形 enough to meet some requirement

（ある用途・目的のために）十分な

≒ sufficient, acceptable

⇔ inadequate, insufficient

〈ad-（～に）+equ（等しい）+-ate（形容詞）〉

例 Seaside Winery did not have an **adequate** supply of grapes this year and could only produce half the amount of wine expected.

Seaside Wineryは今年、十分なブドウの供給がなく、予想の半分の量のワインしか生産できなかった。

□□□ 069

motivate

/ móʊtəvèɪt /

名 motivation 動機づけ
名 motive 動機
形 motivated やる気のある

動 to give someone or help someone find a reason to do something

～にやる気を起こさせる、動機を与える

≒ inspire ⇔ discourage

例 The CEO helped **motivate** his employees by creating a special incentive program for those with good sales numbers.

CEOは、販売成績のよい従業員向けの特別なインセンティブプログラムを作ることで、従業員のやる気を引き出した。

□□□ 070

disclose

/ dɪsklóʊz /

名 disclosure 暴露

動 to share information with the public

～を公表する、公開する

≒ reveal

〈dis-（否定）+close（閉じる）〉

例 Details regarding the accident victims have not yet been **disclosed** to the public.

事故の犠牲者に関する詳細はまだ一般に公開されていない。

□□□ 071

plunge

/ plʌ́ndʒ /

動 to quickly drop a great deal in value, amount, etc.

急落する

≒ plummet ⇔ soar, skyrocket

例 Stocks for Cake Ltd. **plunged** after the scandal with the company president.

社長のスキャンダルでCake社の株価は急落した。

□□□ 072

inquiry

/ ínkwəri | -kwáɪri /

動 inquire 尋ねる

名 **a question that is asked to gain more information**

問い合わせ

≒ query

〈in-（中に）+quiry（求めること）〉

例 Customer service is not able to respond to **inquiries** on weekends or holidays.

カスタマーサービスは、週末や休日のお問い合わせにはお答えできません。

□□□ 073

vow

/ váʊ /

動 **to make a serious promise to do something or act in a specific way**

～を誓う

≒ pledge, swear

ⓘ 〈vow to *do*/that...〉（～すると／…だと誓う）の形で押さえておこう。

例 We **vow**, as a company, to improve the working conditions at all of our factories.

私たちは会社として、すべての工場の労働環境を改善することを誓います。

□□□ 074

sophisticated

/ səfístɪkèɪtɪd /

動 sophisticate ～を洗練させる
名 sophistication 洗練；精巧さ

形 ① **having or showing experience and knowledge about many things**

洗練された、教養のある

≒ worldly, refined　⇔ unsophisticated, unrefined

例 Ms. Best is known in business circles for her **sophisticated** manner.

Bestさんは洗練された物腰でビジネス界で知られている。

② **very well developed and complex in how it works or is understood**

高機能の、精巧な

≒ advanced

例 A highly **sophisticated** irrigation system protects Tokyo from floods.

非常に高機能な灌漑（かんがい）システムが東京を洪水から守っている。

□□□ 075

subtle

/ sʌ́tl /

形 **difficult to notice**

かすかな、微妙な

副 subtly 微妙に
名 subtlety 微妙さ

≒ faint

⇔ obvious

例 This coffee is a dark roast, with **subtle** flavors of chocolate and cherry.

このコーヒーは深煎りで、ほのかにチョコレートとチェリーの風味がする。

□□□ 076

premise

/ prémɪs /

名 **an area of land and the building(s) on it**

敷地、構内

〈pre-（前に）+mise（置く）〉

≒ ground(s)

ⓘ ふつう複数形で使う。

例 Pets are not permitted anywhere on the **premises**.

敷地内へのペットの同伴はご遠慮ください。

□□□ 077

gaze

/ géɪz /

動 **to look at someone or something for a long time**

見つめる

≒ stare

例 Each room has a glass ceiling so that guests can **gaze** at the Northern Lights while they lie in bed.

各部屋にはガラスの天井があり、客はベッドに横になってオーロラを眺めることができる。

□□□ 078

stack

/ stǽk /

動 **to organize things into a neat pile**

～を積み重ねる

ⓘ 同じような種類のものを整然と積み上げること。「積み重ね、山」という名詞の意味もある。「～を乱雑に積み重ねる」はheap。

例 The cartons of eggs are **stacked** on top of each other in the refrigerator.

卵のパックは冷蔵庫の中で積み重ねられている。

□□□ 079

patent

/ pǽtnt | péɪt- /

名 **the rights to an idea or product**

特許

ⓘ 発音に注意。

例 Solare Auto opened their **patent** for the three-point seat belt to competitors to increase overall road safety.

Solare Autoは、交通安全全般の向上のために、3点式シートベルトの特許を競合他社に開放した。

□□□ 080

abruptly

/ əbrʌ́ptli /

形 abrupt 不意の、突然の

副 **very suddenly and unexpectedly**

突然、不意に

〈ab-（離れて）+rupt（破る）+-ly（副詞）〉

例 Reports say that a car stopping **abruptly** on the freeway was the cause of the accident.

報告によると、高速道路で急停止した車が事故の原因だった。

章末ボキャブラリーチェック

次の語義が表す英単語を答えてください。

語義	解答	連番
❶ a set of information shown in numbers	statistics	032
❷ having or showing experience and knowledge about many things	sophisticated	074
❸ working hard to do something because it is important to you	dedicated	040
❹ to make someone or something stay within a certain area, limit, etc.	confine	023
❺ to look at someone or something for a long time	gaze	077
❻ available to use or do as a choice but not required	optional	038
❼ to say that one thing is because of something or someone else	attribute	043
❽ a person who is watching an event or game, especially sports	spectator	016
❾ very impressive	spectacular	067
❿ a trip to a place to do something like pray or study that is usually done in small groups	retreat	008
⓫ not costing a lot of money	inexpensive	064
⓬ to say the amount or value of something officially	assess	013
⓭ to make someone or something be a certain way	render	045
⓮ to carry out a plan or orders	execute	022
⓯ the item that you turn on and off to control the flow of water from a pipe	faucet	009
⓰ to make something easier and more effective to do	streamline	007
⓱ a very large room used for formal dances and sometimes other formal events	ballroom	027
⓲ to have room for someone or something	accommodate	054
⓳ a question that is asked to gain more information	inquiry	072
⓴ to stop the movement of someone or something	halt	055

語義	解答	連番
㉑ feeling or showing a desire not to do something (yet)	reluctant	021
㉒ mostly containing places where people live instead of offices, factories, etc.	residential	039
㉓ enough to meet some requirement	adequate	068
㉔ able to be entered, reached, etc.	accessible	026
㉕ a sometimes long passage between rows of seats or between rows of shelves	aisle	028
㉖ something that is given to a person or organization to help them	donation	035
㉗ to provide the things needed for something or someone to exist or continue	sustain	003
㉘ the traditions and other parts of the history of a group or nation	heritage	042
㉙ very suddenly and unexpectedly	abruptly	080
㉚ above your head or raised above the ground	overhead	046
㉛ to make something increase or become better	boost	037
㉜ an individual, group, or business that pays to use a space that is not owned by them	tenant	056
㉝ the stopping of something such as electricity	outage	005
㉞ to organize things into a neat pile	stack	078
㉟ to add something to another thing to make it complete	supplement	034
㊱ to make someone or something do something because there is a need or rule	oblige	052
㊲ at the most recent and advanced stage in the development of something	cutting-edge	006
㊳ a group of vehicles or planes that travel together or are owned by the same organization	fleet	063
㊴ to make something bigger or become bigger	enlarge	018
㊵ to give someone or help someone find a reason to do something	motivate	069
㊶ an area of land and the building(s) on it	premise	076

語義	解答	連番
㊷ a skill or experience that makes someone suited to do a particular job or hold a particular position	qualification	051
㊸ the activity or business of getting people to pay attention to someone or something	publicity	014
㊹ to live in a place	inhabit	044
㊺ available to only one person or group	exclusive	019
㊻ a person whose job is to help or serve others in a public place	attendant	061
㊼ very different from one another and of different kinds	diverse	024
㊽ the process of getting information or services to people	outreach	004
㊾ to share information with the public	disclose	070
㊿ to say that you accept that something is true	acknowledge	029
51 the rights to an idea or product	patent	079
52 a barrier made using posts that support a bar across them	railing	065
53 having a good or useful effect or improving a situation	beneficial	060
54 a place where passengers can get on and off, such as a bus stop or airport	terminal	062
55 an amount of money paid regularly by a company or government to a person who no longer works	pension	059
56 used to connect two statements that show how something is different	whereas	048
57 to make something start	initiate	066
58 to quickly drop a great deal in value, amount, etc.	plunge	071
59 to make a serious promise to do something or act in a specific way	vow	073
60 very good or enjoyable	marvelous	011
61 to grow well or be successful	flourish	049
62 coming directly from actual experiences	firsthand	010
63 difficult to notice	subtle	075

語義	解答	連番
❻❹ of low quality or rank	inferior	017
❻❺ having equal value	equivalent	058
❻❻ the number of people in a building or room at the same time	occupancy	020
❻❼ to deal with something that is not easy	tackle	050
❻❽ to be common or popular	prevail	025
❻❾ good or appropriate	decent	030
❼⓿ being busy with activity	bustling	012
❼❶ the range of an area that is included in or handled by something	scope	031
❼❷ relating to the management of an organization	administrative	047
❼❸ very beautiful, attractive, or pleasant	gorgeous	053
❼❹ to rise very quickly to a high amount, level, or price	soar	033
❼❺ the length, width, height, or depth of something	dimension	036
❼❻ to study something to try to learn more about it	explore	001
❼❼ a simple object, usually with historical or cultural significance, made by people in the past	artifact	002
❼❽ a person who works at a hotel whose job is to help guests by giving them information and making arrangements for them	concierge	015
❼❾ a trip taken on a boat that visits many places	cruise	041
❽⓿ much better than usual	exceptional	057

スコア990への道 01

言い換えのパターン：類義語1

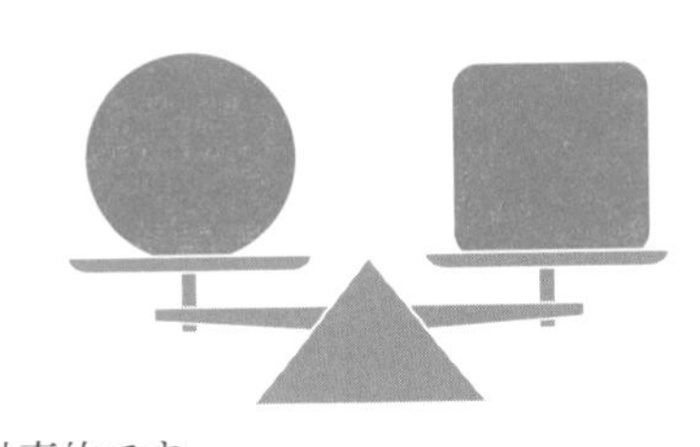

このコラムでは、990点を狙うために欠かせないポイントをご紹介します。まずは、言い換えのさまざまなパターンです。一番シンプルなのは、類義語による言い換え。単語を覚えるときに類義語を一緒に覚えておくと、効率的です。

名詞

- □ **coworker** ⇔ **colleague**（同僚）
- □ **exhibition** ⇔ **fair**（展示会）
- □ **summary** ⇔ **overview**（概要）
- □ **draft** ⇔ **manuscript**（草稿）
- □ **feature** ⇔ **characteristic**（特徴）
- □ **disorder** ⇔ **confusion**（混乱）
- □ **evidence** ⇔ **proof**（証拠）

動詞／形容詞

- □ **provide** ⇔ **offer**（提供する）
- □ **decrease** ⇔ **decline**（減少する）
- □ **authorize** ⇔ **approve**（～を許可する）
- □ **enlarge** ⇔ **expand**（～を拡大する）
- □ **overseas** ⇔ **international**（海外の、国際的な）
- □ **updated** ⇔ **renovated**（更新・刷新された）
- □ **affordable** ⇔ **inexpensive**（手ごろな、安価な）
- □ **reluctant** ⇔ **hesitant**（気乗りがしない）

Stage 2

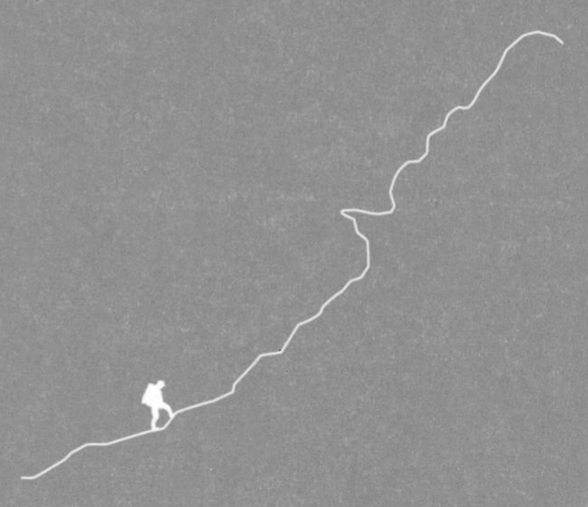

A journey of a thousand miles begins with a single step.
千里の道も一歩から。

□□□ 081

authorize

/ ɔ́:θəràɪz /

名 authorization 許可、認可
名 authority 権限

動 ① **to give official or legal permission for something**

～を認可する、許可する

ⓘ イギリス英語ではauthoriseとつづる。

例 Only factories **authorized** by the government are allowed to manufacture medications.

政府に認可された工場だけが医薬品の製造を許可されている。

② **to officially give power or permission to someone**

～に権限を与える

≒ empower

例 Only management staff are **authorized** to access the company vault.

経営スタッフだけが会社の金庫へのアクセス権限を有している。

□□□ 082

diagram

/ dáɪəgræ̀m /

名 **a drawing that explains or shows something to make it easier to understand**

図、略図

〈dia-（横切って）+gram（書かれたもの）〉

例 Please look at the **diagram** on page four for clarification on company growth over the last quarter.

前四半期における企業の成長については、詳しくは4ページの図をご覧ください。

□□□ 083

extract

/ ɪkstrǽkt /

名 extraction 抽出

動 **to take something out of something else**

～を抽出する

〈ex-（外に）+tract（引っぱる）〉

⇔ insert

ⓘ 「抽出されたもの；引用、抜粋」という名詞の意味もある。その場合、発音は/ékstrækt/。

例 Scientists are studying the health benefits of the vitamins **extracted** from natto.

科学者たちは納豆から抽出されたビタミンの健康上の利点を研究している。

□□□ 084

marketplace

/ mάːrkətplèɪs /

名 **the economic system in which companies compete to sell their goods or services**

市場

例 We must adapt to the global **marketplace** in order to remain competitive.

競争力を維持するためには、わが社はグローバル市場に適応する必要がある。

□□□ 085

soak

/ sóʊk /

動 **to leave something in a liquid for some time**

～を浸す

≒ submerge, bathe

例 Unlike beans, lentils do not need to be **soaked** before cooking.

豆と異なり、レンティルは調理前に水に浸す必要がない。

□□□ 086

transmit

/ trænsmít | trænz- /

名 transmission 送信、伝達
名 transmitter 送信器

動 ① **to give or pass something, such as information, from one person to another**

〈情報など〉を伝える、伝達する

≒ convey, transfer ⇔ receive

〈trans-(越えて)+mit(送る)〉

例 Information shared between governments is **transmitted** through a highly secure system.

政府間で共有される情報は、安全性の高いシステムを介して伝達される。

② **to send something as an electrical signal to things, such as radios and televisions**

～を送信する、伝送する

≒ broadcast

例 In his lecture, he taught how data is **transmitted** via radio signals.

彼は講義で、どのようにしてデータが無線信号を介して伝送されるかを教えた。

□□□ 087

tremendous

/ trɪméndəs | trə- /

副 tremendously ものすごく

形 **very big or exceptionally good**

非常に大きい、素晴らしい

≒ huge, gigantic

⇔ tiny, ordinary

例 Boogle's new app gained **tremendous** popularity after many celebrities started using it.

Boogleの新しいアプリは、多くの有名人が使い始めると、絶大な人気を博した。

□□□ 088

coordinate

/ kouɔ́ːrdənèɪt | -di- /

名 coordination 調整、調和
名 coordinator 調整役、まとめ役

動 **to arrange things so that different groups of people can work together well**

～を調整する、まとめる

≒ organize, regulate

〈co-（共に）+ordin（命令）+-ate（動詞）〉

ⓘ「coordinateする人」がcoordinator（コーディネーター）。

例 The Minister of Transportation is in charge of **coordinating** all public transportation projects.

運輸大臣は、すべての公共交通プロジェクトの調整を担当している。

□□□ 089

simultaneously

/ sàɪməltéɪniəsli /

形 simultaneous 同時の

副 **at the same time as something else**

同時に

例 The election results were broadcast **simultaneously** on TV and radio.

選挙結果はテレビとラジオで同時に放送された。

□□□ 090

eatery

/ íːtəri /

名 **a small place that serves food**

食堂、飲食店

≒ restaurant

〈eat（食べる）+-ery（場所）〉

例 Rebecca wants to open an **eatery**, but first needs to submit her business plan to the bank for approval.

Rebeccaは飲食店を開きたいと思っているが、まず銀行に事業計画を提出して承認を受ける必要がある。

□□□ 091

leak

/ líːk /

形 leaky 漏れる
名 leakage 漏れ

動 **to let something in or out of something through a hole**

〈屋根・船などが〉漏る

ⓘ「(情報などを) リークする」はカタカナ語にもなっている。

例 If your roof is **leaking**, call The Tile Guys for a free inspection.

屋根が漏ったら、Tile Guysに電話して無料の検査を受けてください。

□□□ 092

obstacle

/ ɑ́ːbstəkl | ɔ́b- /

名 **something that makes it hard to do a task or blocks the way**

障害(物)、支障

≒ obstruction, barrier

〈ob- (反対に) +sta (立つ) + -cle (指小辞)〉

例 With our loan service, you will be able to overcome all the financial **obstacles** standing in your way.

わが社の融資で、あなたの行く手を阻むあらゆる金銭的障害を乗り越えることができます。

□□□ 093

attendance

/ əténdəns /

動 attend ～に出席する

名 ① **the act of being present somewhere**

出席、出社

〈at- (～に) +tend (伸ばす) +-ance (名詞)〉

例 Kaobook requires that all employees be in **attendance** at the annual company meeting.

Kaobookでは、すべての従業員に年次全社集会に出席することを求めている。

② **the number of people present at an event, meeting, or place**

来場者数、観客動員数

≒ turnout

例 **Attendance** is up 45% following the renovation of the stadium.

スタジアムの改修後、観客動員数は45%増加した。

□□□ 094

fraction

/ frǽkʃən /

形 fractional 断片的な
副 fractionally 断片的に

名 **a very small amount of something**

少量、少し

≒ part, fragment

⇔ entirety

〈fract（割られた）+-ion（名詞）〉

例 Only a **fraction** of the company's profits come from public works projects.

公共事業による会社の利益はごく一部にすぎない。

□□□ 095

apparatus

/ æ̀pərǽtəs | -réɪtəs /

名 **a tool that is used to do specific things**

器具、装置

≒ device, gear

ⓘ アクセントはraの位置。

例 This type of breathing **apparatus** is an essential tool for firefighters.

このタイプの呼吸装置は、消防士にとって不可欠なツールだ。

□□□ 096

countless

/ káʊntləs /

形 **too many to be counted**

数えきれない、無数の

≒ innumerable

〈count（数える）+-less（ない）〉

例 AI Corporation had to rewrite their proposal **countless** times before the government accepted it.

AI社は、政府が提案を受け入れてくれるまで、何度もそれを書き直さなければならなかった。

□□□ 097

abolish

/ əbɑ́:lɪʃ | -bɔ́l- /

名 abolition 廃止

動 **to officially get rid of something, such as a law**

～を廃止する

≒ nullify, invalidate ⇔ pass, validate

例 The Gazette News argues that **abolishing** corporate taxes will only benefit the rich.

Gazette News紙は、法人税の廃止は金持ちにしか利益をもたらさないと主張している。

098

raffle

/ rǽfl /

名 a contest that is held to earn money for an organization that involves individuals buying numbered tickets and winning prizes

（資金集めのための）くじ

ⓘ lotteryは「（公営の）宝くじ」。drawing（抽選、くじ引き）という語も覚えておこう。

例 Every Last Drop held a **raffle** to raise funds for their next well building project.

Every Last Dropは、次の井戸建設プロジェクトの資金調達のためくじを行った。

099

transparent

/ trænspérənt | -pǽr- /

名 transparency 透明

形 able to be seen through

透明な

≒ clear

⇔ opaque

〈trans-（通って）+par（現れる）+-ent（形容詞）〉

例 The museum displays all artifacts under the protection of **transparent** glass.

その博物館では、透明なガラスの保護の下ですべての工芸品を展示している。

100

incorrect

/ ìnkərékt /

形 not correct or true

不正確な、間違った

≒ false, wrong

例 If any of your personal information is **incorrect**, please contact Customer Support immediately.

個人情報に誤りがある場合は、すぐにカスタマーサポートにご連絡ください。

101

commodity

/ kəmɑ́ːdəti | -mɔ́d- /

名 a thing that is bought and sold for money

商品、産物

≒ product, goods, item

例 The prices of basic **commodities**, such as rice and flour, have increased dramatically.

米や小麦粉といった基本作物の価格は劇的に上昇した。

101語

□□□ 102

boom

/ bú:m /

名 **a sudden increase in business activity**

にわか景気、好況

ⓘ「にわかに景気づく」という動詞の意味もある。

例 The current heat wave has caused a **boom** in new air conditioner sales across the country.

現在の熱波によって、全国的に新しいエアコンの販売は活況になった。

□□□ 103

criterion

/ kraɪtíəriən /

名 **something that is used to measure or judge something**

標準、基準

ⓘ 複数形のcriteriaで使われることが多い。

例 Individuals who do not meet the **criteria** listed below are not able to attend this seminar.

下記の基準を満たしていない方は、本セミナーにご参加いただけません。

□□□ 104

controversial

/ kɑ̀:ntrəvə́:rʃəl | kɔ̀n- /

名 controversy 論争

形 **causing disagreement and arguments**

意見の分かれる、論争を引き起こす

≒ divisive, disputed, sensitive

〈contro(反対の)+vers(曲がる)+-ial(形容詞)〉

例 Despite being a **controversial** issue, the government decided to approve the construction of a new pipeline to the coast.

意見の分かれる問題であるにもかかわらず、政府は海岸への新しいパイプラインの建設の承認を決定した。

□□□ 105

foster

/ fɔ́(:)stər /

動 **to help someone or something grow or develop**

～を育成する、促進する

≒ cultivate, nurture, encourage ⇔ impede, neglect

例 The goal of our service is to **foster** a healthy relationship between the local government and small businesses.

私たちのサービスの目標は、地方自治体と中小企業の間の健全な関係を育むことです。

□□□ 106

comparable

/ káːmpərəbl | kɔ́m- /

動 compare ～を比較する
名 comparison 比較

形 **similar to something or someone else in a way that is able to be compared**

同等な、匹敵する

例 The cost of vegetables in North America is **comparable** to that of several European countries.

北米の野菜の価格は、ヨーロッパのいくつかの国の価格に匹敵する。

□□□ 107

booth

/ búːθ | búːð /

名 **a small, usually temporary structure that is partially enclosed**

（展示会などの）ブース、テント

ⓘ a ticket booth（切符売り場）のような「（仕切られた）売り場」、また「（レストランの）ボックス席」の意味でも使われる。

例 All artists attending the Ani Convention are required to set up their own display **booths**.

Ani Conventionに参加するアーティストは皆、自分の展示ブースを設営しなければならない。

□□□ 108

deficit

/ défəsɪt /

形 deficient 不足した
名 deficiency 不足

名 **an amount of something that is less than what is needed**

不足額、赤字

≒ lack, shortage, insufficiency ⇔ surplus

例 Rather than decrease spending, the company hopes to get rid of its budget **deficit** by increasing revenue.

その企業は、支出を減らすのではなく、収益を増やすことで予算不足を解消したいと考えている。

□□□ 109

cargo

/ káːrgoʊ /

名 **the goods that are carried from one place to another by sea, air, or land**

貨物

≒ freight

例 Increased **cargo** ship traffic in the harbor has caused extensive damage to the wildlife that lives there.

港での貨物船の交通量の増加は、そこに住む野生生物に甚大な被害をもたらしている。

□□□ 110

costly

/ kɔ́(:)stli /

形 being very expensive

金のかかる、値段が高い

⇔ inexpensive

例 By using more **costly** materials, the company can create more durable clothing.

より高価な素材を使用することで、その会社はより耐久性のある衣類を作ることができている。

□□□ 111

exaggerate

/ ɪɡzǽdʒərèɪt /

名 exaggeration 誇張

動 to consider or describe something as being greater than it actually is

（～を）誇張する

≒ inflate

⇔ play down

ⓘ アクセントはxaの位置。

例 By **exaggerating** the dangers of the current situation, the media has caused unnecessary public panic.

現在の状況の危険性を誇張することで、メディアは不要な大衆のパニックを引き起こした。

□□□ 112

exponentially

/ èkspounénʃəli /

形 exponential 急激な

副 in a way that becomes faster and faster over time

急激に、加速度的に

例 The number of mobile phone users has grown **exponentially** over the past 20 years.

携帯電話のユーザー数は、過去20年間で急激に増加している。

□□□ 113

closure

/ klóʊʒər /

動 close ～を閉じる

名 the situation in which an organization or business permanently closes

閉鎖

〈clos（閉じる）+-ure（名詞）〉

例 The decreasing population has caused the **closure** of the local school.

人口の減少により、その地元の学校は閉鎖された。

□□□ 114

exploit

/ ɪksplɔ́ɪt /

名 exploitation 活用

動 **to make use of something or someone**

～を利用する、活用する

≒ take advantage of

〈ex-（外に）+ploit（折る）〉

例 Our company has been successful in **exploiting** new Internet technologies to expand our brand.

わが社は、新しいインターネット技術を活用してブランドを拡大することに成功してきた。

□□□ 115

circulation

/ sə̀ːrkjəléɪʃən | -kju- /

動 circulate 流通する

名 **the average number of magazines or newspapers that are sold within a certain period of time**

発行部数

≒ readership

〈circul（円）+-ation（名詞）〉

ⓘ「（図書館の）貸し出し」という意味で出題されることもある。例：circulation desk（貸出受付）

例 The local newspaper has a **circulation** of about 6,000 per week.

その地方新聞の発行部数は週約6,000部だ。

□□□ 116

trash

/ trǽʃ /

名 **things that you do not need or cannot use and throw away**

ごみ、くず

≒ rubbish, garbage

例 Collection of combustible **trash** takes place every Monday and Thursday.

可燃ごみの収集は毎週月曜日と木曜日に行われる。

□□□ 117

voluntary

/ vɑ́ːləntèri | vɔ́ləntəri /

副 voluntarily 自発的に
名 volunteer ボランティア

形 **done by choice and without being forced**

自発的な、任意の

≒ optional　⇔ involuntary, mandatory

例 Participation in our next conference is **voluntary**, but highly encouraged.

次の会議への参加は任意ですが、強くお勧めします。

117語

□□□ 118

hospitality

/ hɑ̀:spətǽləti | hɔ̀s- /

形 hospitable 温かく迎える

名 friendly treatment of guests and people visiting

もてなし、接待

≒ friendliness

〈hospit (客) +-ality (名詞)〉

ⓘ hospitは「客」を意味する語根でhospital（病院）も同語源語。

例 ABC Hotel has the highest **hospitality** rating in the city.

ABCホテルは市内で最高の接客の評価を受けている。

□□□ 119

insufficient

/ ìnsəfíʃənt /

形 not having or being enough

不十分な

≒ inadequate

⇔ sufficient

例 An **insufficient** supply of electricity to the town means that there are regular blackouts.

町への電力供給が不十分であるということは、定期的に停電が発生しているということだ。

□□□ 120

counterpart

/ káuntərpɑ̀:rt /

名 someone or something with the same job or purpose, but in a different place, organization, etc.

同等物、よく似た人[もの]

例 Our manager and her **counterpart** in the IT Department collaborated to make this training session happen.

わが部の部長とIT部の部長は、この研修会を実現するために協力した。

□□□ 121

commence

/ kəméns /

名 commencement 開始

動 to begin (something)

～を始める；始まる

≒ launch ⇔ end

例 The annual staff party is set to **commence** at exactly noon.

毎年恒例のスタッフパーティーは正午ぴったりに始まる予定だ。

□□□ 122

sightseeing

/ sáɪtsìːɪŋ /

名 **the activity of going to famous or interesting places somewhere**

観光

〈sight（名所）+see（見る）+-ing〉

例 Halifax is a great place to go **sightseeing** if you want to see a small Canadian city on the coast.

カナダの海岸沿いの小さな都市を見たいなら、ハリファックスは観光をするのに最適な場所だ。

□□□ 123

monetary

/ máːnətèri | mʌ́nɪtəri /

形 **relating to money**

金銭的な、財政上の

≒ financial, fiscal

例 Many small businesses are now facing **monetary** difficulties due to the recession.

多くの中小企業は現在、不況のために財政的な困難に直面している。

□□□ 124

profound

/ prəfáʊnd /

副 profoundly 深く；心から

形 ① **felt or experienced very strongly**

深い、大きな

≒ deep

〈pro-（の方に）+found（底）〉

例 The new school budget cuts will have **profound** implications for the quality of education in the region.

学校予算の新たな削減は、この地域の教育の質に大きな影響を及ぼすだろう。

② **having a deep understanding of or a lot of knowledge about something**

〈知識・理解が〉深い

⇔ superficial

例 Her book offers **profound** insights into the building of a successful company.

彼女の本は、成功する会社の構築についての深い洞察を提供している。

□□□ 125

philanthropic

/ fìlənθrɑ́ːpɪk | -θrɔ́p- /

㊔ philanthropy 慈善(活動)
㊔ philanthropist 慈善家

形 connected with helping people who do not have money or are in trouble, especially by giving money

慈善(事業)の

例 The billionaire was renowned for her **philanthropic** activities.

その億万長者は慈善活動で有名だった。

□□□ 126

accidentally

/ æksədéntəli /

形 accidental 偶然の
名 accident 事故;偶然

副 happening or done by mistake or unintentionally

誤って、うっかり

≒ by accident, mistakenly, inadvertently, unwittingly

⇔ deliberately, intentionally, on purpose

例 The new intern **accidentally** sent an incomplete e-mail to the company mailing list.

新しいインターンは、書きかけのメールを誤って会社のメーリングリストに送ってしまった。

□□□ 127

farewell

/ féərwèl /

形 done when someone is leaving a job, moving away, etc.

別れの、送別の

ⓘ 「別れ(の言葉)」という名詞の意味もある。

〈fare(行く)+well(元気に)〉

例 The new recruits have been put in charge of planning Mr. Rogers' **farewell** party.

新入社員はRogersさんの送別会の立案担当に指名された。

□□□ 128

preliminary

/ prɪlímənèri | prɪlímɪnəri /

形 being done or starting before the main part of something

予備の、準備の

≒ preparatory

例 **Preliminary** research suggests that this new medication may be helpful in fighting cancer.

予備研究は、この新薬ががんとの闘いに役立つ可能性があることを示唆している。

□□□ 129

waterproof

/ wɑ́:tərprùːf | wɔ́:- /

形 **not letting water get through or being unable to be damaged by water**

防水の

例 Clarence used his **waterproof** camera to take pictures of fish when he went snorkeling.

Clarenceはシュノーケリングに行ったとき、防水カメラを使って魚の写真を撮った。

□□□ 130

revise

/ rɪváɪz /

名 revision 修正、改訂

動 **to make changes and improve something**

～を修正する、改訂する

≒ alter, amend

〈re-（再び）+vise（見る）〉

例 You may now check the **revised** version of our sales report on our homepage.

ホームページで売上報告書の改訂版をご確認いただけます。

□□□ 131

accountant

/ əkáʊntnt | -ənt /

名 **someone whose job is to handle financial accounts for people or businesses**

会計士

〈ac-（～に）+count（数える）+-ant（人）〉

例 Donna has worked as an **accountant** for the country's largest law firm for over 20 years.

Donnaは、20年以上にわたり国内最大の法律事務所の会計士として働いてきた。

□□□ 132

reschedule

/ rìːskédʒuːl | -ʃédʒuːl /

動 **to change the time that something was planned to happen**

～のスケジュールを変更する

ⓘ カタカナ語の「リスケ」はこれを略した和製英語。

例 Due to the absence of the department manager, the staff meeting has been **rescheduled** for next Thursday.

部長が不在のため、スタッフ会議は来週の木曜日に日程が変更された。

□□□ 133

competent

/ kɑ́:mpətənt | kɔ́mpɪ- /

名 competence 能力

形 having the skills that are needed to do something

有能な

≒ able, capable, skilled

⇔ incompetent, incapable

〈com-（共に）+pet（求める）+-ent（形容詞）〉

例 A **competent** and resourceful lawyer will be assigned to your case.

有能で臨機応変な対応のできる弁護士が、お客さまの案件にあたります。

□□□ 134

biography

/ baɪɑ́:grəfi | -ɔ́g- /

形 biographical 伝記の

名 a story of a real person's life that is written by someone else

伝記、経歴

ⓘ「自分」を意味する接頭辞auto-のついたautobiographyは「自伝」という意味。

〈bio（人生）+graphy（書かれたもの）〉

例 This book contains **biographies** of some of Europe's most famous classical composers.

この本には、何人かのヨーロッパの最も有名なクラシック音楽の作曲家の伝記が含まれている。

□□□ 135

endeavor

/ ɪndévər /

名 a serious attempt or effort to do something

努力、試み

ⓘ イギリス英語ではendeavourとつづる。

例 All employees at Zoola Designs are encouraged to pursue their artistic **endeavors** freely.

Zoola Designsのすべての従業員は、自由に芸術的努力を追求することが奨励されている。

動 to try to do something with continued effort

努力する、試みる

ⓘ〈endeavor to *do*〉（～しようと努力する）の形で覚えておこう。

例 The government is **endeavoring** to improve overall quality of life in unprecedented ways.

政府は、これまでにない方法で生活の質全般を向上させようと努めている。

□□□ 136

fluent

/ flúːənt /

副 fluently 流ちょうに
名 fluency 流ちょうさ

形 able to speak a language very well

流ちょうな

〈flu (流れる) +-ent (形容詞)〉

例 This position requires that you be **fluent** in both English and French.

この職に就くには、英語とフランス語の両方に堪能である必要がある。

□□□ 137

ample

/ ǽmpl /

副 amply 十分に

形 having or giving (more than) enough of something that is needed

十分な、豊富な

≒ abundant, sufficient, plentiful

⇔ lacking, inadequate

例 There will be **ample** time for questions at the end of the lecture.

講義の最後には、質問のための十分な時間があります。

□□□ 138

briefcase

/ bríːfkèɪs /

名 a flat case used in business to carry papers and documents

書類かばん、ブリーフケース

例 **Briefcases** have been gradually losing popularity among young businesspeople.

ブリーフケースは、若いビジネスパーソンの間で徐々に人気を失いつつある。

□□□ 139

manuscript

/ mǽnjəskrìpt /

名 the original copy of something written before being printed or published

原稿

ⓘ 原義は「手で書かれたもの」だが、今はタイプしたものも指す。

〈manu (手) +script (書く)〉

例 The **manuscript** of a book is ideally proofread several times before it is published.

本の原稿は、出版される前に何回か校正するのが理想的だ。

139語

□□□ 140

prior

/ práɪər /

形 **existing at an earlier time**

（時間・順番が）前の、先の

≒ previous, preceding ⇔ latter, following

ⓘ prior to（〜に先立って）の形も押さえておこう。

例 **Prior** experience teaching young children is essential.

以前、幼児を教えた経験があることが不可欠です。

名 priority 優先事項

〈pr（1番目の）+-ior（比較級）〉

□□□ 141

successor

/ səksésər /

名 **someone who replaces the person who previously held a position**

後任（者）

⇔ predecessor

例 The company president appointed his **successor** a few weeks before his retirement.

社長は引退の数週間前に後継者を任命した。

動 succeed 〜のあとを継ぐ；成功する
名 succession 連続

□□□ 142

frustrate

/ frʌ́streɪt | frʌstréɪt /

動 **to make someone feel angry or upset because of something they cannot do**

〜をいらいらさせる

≒ annoy ⇔ comfort

例 The customer was **frustrated** that her oven was not working properly.

客は、オーブンが正常に動かないことにいらいらしていた。

名 frustration 挫折；欲求不満

□□□ 143

worthwhile

/ wə̀ːrθwáɪl /

形 **good, important, or valuable enough to spend time and energy doing**

時間［労力］を費やす価値がある

≒ beneficial ⇔ worthless

ⓘ 〈It is worthwhile *doing* [to *do*]〉（〜することは価値がある）の形も押さえておこう。

例 The time it took to complete the accounting course was **worthwhile**.

会計コースを完了するのにかかった時間は、価値のあるものだった。

□□□ 144

prosperous

/ prá:spərəs | prɔ́s- /

名 prosperity 繁栄
動 prosper 繁栄する

形 **having success and making money**

(経済的に)成功した、豊かな

例 With support from municipal initiatives, rural farmers have become **prosperous**.

地方自治体のイニシアティブによる支援で、農村の農民は豊かになった。

□□□ 145

precaution

/ prɪkɔ́:ʃən /

形 precautionary 予防的な

名 **something done to keep people safe or stop problems from happening in the future**

用心、予防措置

≒ preparation

例 Anyone entering the factory floor must take all the required safety **precautions**.

工場のフロアに入る人は誰でも、必要なすべての安全対策を講じる必要がある。

□□□ 146

enhance

/ ɪnhǽns | -há:ns /

名 enhancement 向上;増大

動 **to improve or add to something**

〜を高める、よくする

≒ augment, make better

⇔ detract from, diminish, harm

例 The committee aims to **enhance** the company's brand image through a targeted marketing campaign.

その委員会は、ターゲットを絞った販売キャンペーンを通じて会社のブランドイメージを高めることを目指している。

□□□ 147

deliberately

/ dɪlíbərətli /

形 deliberate 故意の;熟慮された

副 **done with intention and not by chance**

故意に、意図的に

≒ intentionally, on purpose

⇔ by accident, mistakenly

〈de-(完全に)+liber(天秤にかける)+-ately(副詞)〉

ⓘ「時間をかけて、慎重に」という意味もある。

例 As a journalist, it is your job to **deliberately** ask the hard questions.

ジャーナリストとして、故意に難しい質問をするのがあなたの仕事です。

□□□ 148

stool

/ stúːl /

名 **a type of seat with three or four legs and usually no back or arms**

（ひじ掛け・背のない）いす、スツール

例 This café has **stools** at the counter so you can watch drinks be made while you are there.

このカフェはカウンターにスツールがあり、飲み物が作られるのをそこで見ることができます。

□□□ 149

penetrate

/ pénətrèɪt /

名 penetration 進出；貫通

動 **to start selling products or services, or having influence in a new area**

〈市場など〉に進出する

≒ get into

ⓘ 「～を貫通する」という意味もある。

例 Growl Inc. hopes to **penetrate** the global clothing market by releasing their homepage in several languages.

Growl社は、複数の言語でホームページを公開することにより、世界の衣料品市場に進出したいと考えている。

□□□ 150

energetic

/ ènərdʒétɪk /

名 energy 活力、エネルギー

形 **having a lot of energy and enthusiasm**

活動的な、精力的な

≒ lively

例 Our **energetic** and dedicated staff are what make the experiences at our restaurant so great.

当店の精力的で献身的なスタッフが、当レストランでの体験を素晴らしいものにしています。

□□□ 151

attorney

/ ətə́ːrni /

名 **a person who is trained and qualified to guide and assist people in matters relating to the law**

弁護士

≒ lawyer

例 Large Silicon Valley tech companies have a large team of **attorneys** to handle any problems that surface.

シリコンバレーのテクノロジー大企業には、表面化するどんな問題でも処理するための大規模な弁護士チームがいる。

□□□ 152

excursion

/ ɪkskə́ːrʒən | -ʃən /

名 **a short trip that is organized so people can visit a place while they are traveling**

遠足、小旅行

≒ outing

ⓘ ふつう、団体の行楽旅行をさす。

〈ex-（外に）+curs（走る）+-ion（名詞）〉

例 Our agency prides itself on providing the best **excursions** in Rio.

当代理店は、リオで最高の小旅行をご提供することに誇りを持っています。

□□□ 153

masterpiece

/ mǽstərpìːs | mɑ́ːs- /

名 **a work of art or piece of writing that is one of the best ever made or written**

名作、最高傑作

≒ masterwork

〈master（大家）+piece（作品）〉

例 The Museum of Contemporary Art boasts an extensive collection of **masterpieces** from all over the world.

現代美術館は、世界中から集めた傑作の豊富なコレクションを誇る。

□□□ 154

pledge

/ plédʒ /

動 **to promise formally that something will be given or done**

～を誓う、約束する

≒ guarantee, vow

ⓘ「誓い、約束」という名詞の意味もある。

例 The city has **pledged** that municipal taxes will not be raised.

市は、市税が引き上げられないことを約束した。

155語

□□□ 155

cozy

/ kóuzi /

形 **small, comfortable, and warm**

〈場所が〉居心地がよい、くつろげる

ⓘ イギリス英語ではcosyとつづる。

例 The Grandfather Inn is known for its **cozy** and comfortable atmosphere.

Grandfatherインは、居心地のよい快適な雰囲気で知られている。

□□□ 156

applicant

/ ǽplɪkənt /

名 someone who has formally asked for a position or job somewhere

応募者、申込者

動 apply 応募する、申し込む
名 application 応募

≒ candidate

例 Any **applicants** who do not have at least three years of marketing experience will not be considered for the position.

マーケティングの経験が3年以上ない応募者は、その職の候補対象となりません。

□□□ 157

signify

/ sígnəfàɪ /

動 to represent or mean something

〜を示す、意味する

〈sign（印）+-ify（〜にする）〉

例 This mark **signifies** that this product does not contain any animal byproducts.

このマークは、この製品に動物由来成分が一切含まれていないことを示している。

□□□ 158

incorporate

/ ɪnkɔ́ːrpərèɪt /

動 ①to combine something into something else

〜を組み込む

形 incorporated 法人組織の
名 incorporation 編入、合併

≒ mix, include

⇔ divide, remove, exclude, separate

〈in-（中に）+corpor（体）+-ate（動詞）〉

例 **Incorporating** exercise and a nutritious diet into daily routines is essential to leading a long and healthy life.

運動と栄養価の高い食事を日常生活に取り入れることは、長く健康的な生活を送るために不可欠だ。

②to make (a company) into a corporation

〜を法人化する

ⓘ 法人名の後ろにIncorporated（略語Inc.）をつける形で使われることが多い。

例 Our company was **incorporated** on July 5, 2001.

当社は2001年7月5日に設立されました。

159

variable

/ véəriəbl /

動 vary 変わる、変化する

形 often changing or being likely to change

変わりやすい、変化する

≒ fluctuating

⇔ invariable

〈var（変化する）+-iable（できる）〉

例 There must be adequate space in the conference budget for **variable** costs.

変動する費用のために、会議の予算には十分なゆとりが必要だ。

160

pamphlet

/ pǽmflət /

名 a very thin book with a paper cover that contains information about a particular subject

パンフレット、小冊子

≒ booklet, leaflet, brochure

例 Please refer to this **pamphlet** for more information about our services.

当社のサービスの詳細については、このパンフレットをご参照ください。

章末ボキャブラリーチェック

次の語義が表す英単語を答えてください。

語義	解答	連番
❶ small, comfortable, and warm	cozy	155
❷ being done or starting before the main part of something	preliminary	128
❸ a drawing that explains or shows something to make it easier to understand	diagram	082
❹ a short trip that is organized so people can visit a place while they are traveling	excursion	152
❺ to begin (something)	commence	121
❻ often changing or being likely to change	variable	159
❼ to consider or describe something as being greater than it actually is	exaggerate	111
❽ being very expensive	costly	110
❾ done when someone is leaving a job, moving away, etc.	farewell	127
❿ able to speak a language very well	fluent	136
⓫ able to be seen through	transparent	099
⓬ the average number of magazines or newspapers that are sold within a certain period of time	circulation	115
⓭ having success and making money	prosperous	144
⓮ a work of art or piece of writing that is one of the best ever made or written	masterpiece	153
⓯ someone who has formally asked for a position or job somewhere	applicant	156
⓰ to start selling products or services, or having influence in a new area	penetrate	149
⓱ an amount of something that is less than what is needed	deficit	108
⓲ someone or something with the same job or purpose, but in a different place, organization, etc.	counterpart	120
⓳ to make changes and improve something	revise	130

語義	解答	連番
⑳ a thing that is bought and sold for money	commodity	101
㉑ a small, usually temporary structure that is partially enclosed	booth	107
㉒ at the same time as something else	simultaneously	089
㉓ existing at an earlier time	prior	140
㉔ causing disagreement and arguments	controversial	104
㉕ too many to be counted	countless	096
㉖ to improve or add to something	enhance	146
㉗ to let something in or out of something through a hole	leak	091
㉘ having the skills that are needed to do something	competent	133
㉙ not correct or true	incorrect	100
㉚ done with intention and not by chance	deliberately	147
㉛ a flat case used in business to carry papers and documents	briefcase	138
㉜ not having or being enough	insufficient	119
㉝ relating to money	monetary	123
㉞ similar to something or someone else in a way that is able to be compared	comparable	106
㉟ to combine something into something else	incorporate	158
㊱ a contest that is held to earn money for an organization that involves individuals buying numbered tickets and winning prizes	raffle	098
㊲ to leave something in a liquid for some time	soak	085
㊳ to help someone or something grow or develop	foster	105
㊴ a type of seat with three or four legs and usually no back or arms	stool	148
㊵ something done to keep people safe or stop problems from happening in the future	precaution	145
㊶ connected with helping people who do not have money or are in trouble, especially by giving money	philanthropic	125
㊷ friendly treatment of guests and people visiting	hospitality	118

語義	解答	連番
㊸ the economic system in which companies compete to sell their goods or services	marketplace	084
㊹ to promise formally that something will be given or done	pledge	154
㊺ to make someone feel angry or upset because of something they cannot do	frustrate	142
㊻ the act of being present somewhere	attendance	093
㊼ a very small amount of something	fraction	094
㊽ a very thin book with a paper cover that contains information about a particular subject	pamphlet	160
㊾ someone whose job is to handle financial accounts for people or businesses	accountant	131
㊿ very big or exceptionally good	tremendous	087
51 the situation in which an organization or business permanently closes	closure	113
52 the original copy of something written before being printed or published	manuscript	139
53 things that you do not need or cannot use and throw away	trash	116
54 a person who is trained and qualified to guide and assist people in matters relating to the law	attorney	151
55 to represent or mean something	signify	157
56 something that makes it hard to do a task or blocks the way	obstacle	092
57 to officially get rid of something, such as a law	abolish	097
58 to give official or legal permission for something	authorize	081
59 a story of a real person's life that is written by someone else	biography	134
60 the activity of going to famous or interesting places somewhere	sightseeing	122
61 a sudden increase in business activity	boom	102
62 the goods that are carried from one place to another by sea, air, or land	cargo	109

語義	解答	連番
❻❸ having or giving (more than) enough of something that is needed	ample	137
❻❹ done by choice and without being forced	voluntary	117
❻❺ a serious attempt or effort to do something	endeavor	135
❻❻ a tool that is used to do specific things	apparatus	095
❻❼ to arrange things so that different groups of people can work together well	coordinate	088
❻❽ to change the time that something was planned to happen	reschedule	132
❻❾ a small place that serves food	eatery	090
❼⓿ someone who replaces the person who previously held a position	successor	141
❼❶ having a lot of energy and enthusiasm	energetic	150
❼❷ to make use of something or someone	exploit	114
❼❸ to take something out of something else	extract	083
❼❹ not letting water get through or being unable to be damaged by water	waterproof	129
❼❺ in a way that becomes faster and faster over time	exponentially	112
❼❻ something that is used to measure or judge something	criterion	103
❼❼ to give or pass something, such as information, from one person to another	transmit	086
❼❽ good, important, or valuable enough to spend time and energy doing	worthwhile	143
❼❾ happening or done by mistake or unintentionally	accidentally	126
❽⓿ felt or experienced very strongly	profound	124

スコア990への道 02

言い換えのパターン：類義語2

もう少し類義語による言い換えの例を見ていきます。ここで挙げた語は頻出のものばかりですので、覚えてしまいましょう。044ページに比べると、少し難易度の高い語の言い換えです。

名詞

- □ exemption ⇔ reduction（控除）
- □ revelation ⇔ disclosure（暴露）
- □ liability ⇔ responsibility（責任）
- □ constraint ⇔ restriction（制約）
- □ excerpt ⇔ extract（引用）
- □ incentive ⇔ motivation（動機）
- □ appraisal ⇔ assessment（評価）
- □ takeover ⇔ buyout（企業買収）
- □ belongings ⇔ possessions（所持品）
- □ accuracy ⇔ precision（正確さ）

動詞／形容詞

- □ assume ⇔ suppose（～と思う）
- □ qualify ⇔ certify（～に資格を与える）
- □ accomplish ⇔ complete（～を完了する）
- □ resurface ⇔ repave（～を舗装し直す）
- □ introductory ⇔ initial（最初の）
- □ insufficient ⇔ inadequate（不十分な）

Stage 3

Practice makes perfect.
継続は力なり。

□□□ 161

hallway

/ hɔ́ːlwèɪ /

名 **a passage in a building that leads to rooms on the sides**

廊下

≒ hall, corridor

例 Please keep your voice down when walking in the **hallway** so you do not disturb other guests.

ほかのお客さまの邪魔にならないよう、廊下を歩く際は大きな声はお控えください。

□□□ 162

comprehensive

/ kɑ̀ːmprɪhénsɪv | kɔ̀m- /

副 comprehensively 包括的に

形 **including many or all parts**

総合的な、包括的な

≒ extensive, thorough, broad, complete

⇔ limited, incomplete, narrow, exclusive

ⓘ「理解力のある」という意味もある。

〈com-（完全に）+prehens（つかむ）+-ive（形容詞）〉

例 A **comprehensive** survey was sent to all recent customers of the car dealership to inquire about satisfaction.

満足度について尋ねるため、その自動車販売店の最近のすべての顧客に包括的なアンケートが送られた。

□□□ 163

accumulate

/ əkjúːmjəlèɪt /

名 accumulation 蓄積、積み立て
形 accumulative 累積する

動 **① to gather something little by little over time**

～を蓄積する、ためる

⇔ decrease, diminish, lose

例 The company managed to **accumulate** the funds needed to release their new sneaker line.

その企業は、新しいスニーカーシリーズを発売するために必要な資金を何とかためた。

② to grow larger as time passes

蓄積する、たまる

≒ pile up　⇔ shrink

例 Evidence began to **accumulate** showing that the new medication had many dangerous side effects.

その新薬に多くの危険な副作用があることを示す証拠が蓄積し始めた。

□□□ 164

diligent

/ dílɪʤənt /

形 **working with care or continued effort**

勤勉な、熱心な

副 diligently 勤勉に
名 diligence 勤勉

≒ hardworking, industrious

⇔ lazy

〈di-（離れて）+lig（選ぶ）+ent（形容詞）〉

例 It took Ms. Cook 10 years of **diligent** research to be able to write the book.

Cookさんがその本を書くことができるようになるのに10年の熱心な研究が必要だった。

□□□ 165

devise

/ dɪváɪz /

動 **to create or plan something that is difficult**

～を考案する

名 device 装置、考案品

≒ invent, formulate

〈de-（離れて）+vise（見る）〉

例 The government must **devise** a long-term strategy if we are to eliminate homelessness.

ホームレスをなくすつもりなら、政府は長期的な戦略を立てなければならない。

□□□ 166

gratitude

/ grǽtət(j)ù:d | -ɪtjù:d /

名 **a feeling of being thankful**

感謝（の気持ち）

形 grateful ありがたく思う
動 gratify ～を喜ばせる

〈grat（うれしい）+itude（名詞）〉

例 The senator began the gala by expressing his **gratitude** to all of his constituents.

上院議員は、彼の選挙区のすべての有権者に感謝の意を表し、祝賀会を始めた。

□□□ 167

downsize

/ dáʊnsàɪz /

動 **to reduce the number of people who work in an organization to lower costs**

（～の）人員を削減する

例 Horton's Publishing had to **downsize** its workforce by 30% during the last economic crisis.

Horton's出版は、前回の経済危機の際に従業員を30%削減しなければならなかった。

167語

□□□ 168

mortgage

/ mɔ́ːrgɪʤ /

名 **an agreement to borrow money to buy a home**

住宅ローン

≒ home loan

〈mort (死) +gage (誓約)〉

ⓘ tは発音しない。「抵当権」という意味もある。

例 The couple had to apply for a **mortgage** at several banks before they were finally approved.

その夫婦はいくつかの銀行で住宅ローンを申請し、やっと承認された。

□□□ 169

given

/ gívn /

前 **used to show something that is assumed**

～を考えると

≒ considering

ⓘ 〈given that...〉（…ということを考えると）という接続詞的な使い方も押さえておこう。

例 **Given** the short time in which the nutrition program has been running, the results have been exceptionally positive.

その栄養プログラムが実行されている期間が短いことを考えれば、結果は非常に肯定的だ。

□□□ 170

texture

/ tékstʃər /

名 ① **the way an object feels when touched**

手触り、質感

≒ feel

〈text (織る) +-ure (名詞)〉

例 To an expert, the **texture** of real silk is unmistakable.

専門家にとって、本物の絹の質感は間違えようがないものだ。

② **the way food or drinks feel in your mouth**

食感

例 Their doughnuts have become popular among young people for their unique **texture**.

その店のドーナツは独特の食感で若者に人気になった。

□□□ 171

expertise

/ èkspərtíːz | -pəːtíːz /

名 **the skill or knowledge of an expert**

専門知識

≒ competence

ⓘ 発音に注意。

例 Bernadette Roach is known for her **expertise** in engineering.

Bernadette Roachは、エンジニアリングの専門知識で知られている。

□□□ 172

housekeeping

/ háʊskìːpɪŋ /

名 **work such as cleaning and laundry that needs to be done, especially in a hotel**

（ホテルなどの）客室清掃

例 When traveling in the United States, it is considered common courtesy to tip **housekeeping** staff.

アメリカを旅行するときは、客室清掃スタッフにチップを渡すのが一般的な礼儀と考えられている。

□□□ 173

applicable

/ ǽplɪkəbl | əplíkəbl /

動 apply ～を適用する
名 application 適用

形 **able to be applied or used in a specific situation**

適用できる、該当する

例 The new dress code will be **applicable** to all staff members regardless of department.

新しい服装規定は、部に関係なくすべてのスタッフに適用される。

□□□ 174

awning

/ ɔ́ːnɪŋ /

名 **a sheet of strong cloth that stretches out from a building to keep the sun or rain off of people**

（店の入口・窓などの）日よけ

例 Adding a colorful **awning** to the front of your café will attract more customers.

カフェの正面にカラフルな日よけをつけると、より多くの顧客を引きつけることができますよ。

174語

□□□ 175

librarian

/ laɪbréəriən /

名 **someone who works in a library**

図書館員、司書

例 If you can't find where a book is, you should ask the **librarian** for help.

本がどこにあるかわからない場合は、図書館員に助けを求める必要がある。

□□□ 176

prospective

/ prəspéktɪv /

名 prospect 可能性、見込み

形 **expected or likely to become something**

見込みのある、有望な

≒ potential

ⓘ 名詞の前で使う。potential [possible] customer（潜在顧客）という表現も覚えておこう。

〈pro-（前に）+spect（見る）+-ive（形容詞）〉

例 Every individual that passes our shop is a **prospective** customer, and you must treat them as such.

当店を通りかかるすべての人は見込み客ですから、彼らをそのように扱わなければなりません。

□□□ 177

overview

/ óʊvərvjùː /

名 **a general description or explanation of something specific**

概略、要約

≒ summary

例 Mr. Howe's report offers a comprehensive **overview** of the current financial state of the film industry.

Howeさんのレポートは、映画産業の現在の財政状態の包括的な概要を提示している。

□□□ 178

reap

/ríːp /

動 **to get something in return for something you have done**

〈恩恵・報酬など〉を得る

≒ receive, gain, obtain

ⓘ leap（跳ぶ）と混同しないように注意。

例 By moving operations abroad, many multinational companies are able to **reap** big profits.

海外に事業を移転することで、多くの多国籍企業は大きな利益を得ることができる。

□□□ 179

overtime

/ óʊvərtàɪm /

名 ① **time spent working that is done outside expected working hours**

残業時間；（副詞的に）残業して

ⓘ work overtime（残業する）の形で頻出。

例 The local advertising firm released a plan to greatly reduce **overtime** at all their offices.

地元の広告会社は、すべてのオフィスで残業を大幅に削減する計画を発表した。

② **the extra money that is paid for working more than your normal hours**

残業代

例 The company pays generous **overtime** for both salaried and hourly workers.

その会社は、月給労働者にも時間給労働者にも多額の残業代を支払っている。

□□□ 180

wrinkle

/ ríŋkl /

名 **a small fold that forms on your skin when you get older, or a small fold in a material**

しわ

例 All employees are expected to iron the **wrinkles** out of their uniforms.

すべての従業員は、アイロンをかけて制服のしわをなくしてください。

□□□ 181

contractor

/ kɑ́:ntræktər | kəntræ̀k- /

名 contract 契約

名 **a person or company that is hired to provide goods or services at a certain price or by a certain time**

請負業者

ⓘ「下請け業者」はsubcontractorと言う。

〈con-（共に）+tract（引く）+-or（人）〉

例 Our company hires outside **contractors** to perform all IT maintenance work.

当社は、すべてのIT保守作業を外部の請負業者に依頼している。

181語

□□□ 182

fruitful

/ frúːtfl /

形 **producing a good outcome**

実りの多い、有益な

≒ productive

⇔ fruitless

〈fruit（果実、成果）+-ful（満ちた）〉

例 Our latest marketing campaign proved to be very **fruitful**.

われわれの最新の販売キャンペーンは非常に実り多いものだった。

□□□ 183

errand

/ érənd /

名 **a short task done that involves going somewhere to deliver or collect something**

使い、用事

例 Their nanny always runs **errands** in the morning after taking the kids to school.

彼らの子守はいつも、子どもたちを学校に連れて行ったあと、午前中にお使いに行く。

□□□ 184

subscription

/ səbskrípʃən /

動 subscribe 予約購読する、購入を申し込む

名 subscriber 購読者、加入者

名 **an agreement that you make with a company and usually pay for to regularly receive a certain product**

（新聞・雑誌などの）定期購読（料）

ⓘ 日本語の「サブスク」はこの語の略。

例 Matt has a weekly **subscription** to the Sunday paper.

Mattは新聞の日曜版を毎週定期購読している。

□□□ 185

embrace

/ ɪmbréɪs /

動 **to accept an idea or concept**

〈考えなど〉を受け入れる

⇔ reject

〈em-（中に）+brace（腕）〉

例 B Company has finally **embraced** the idea that they will have to increase their social media presence in order to remain relevant.

B社はついに、時代についていくためにソーシャルメディアでの存在感を高める必要があるという考えを受け入れた。

186

blueprint

/ blúːprɪ̀nt /

名 **a photographic print that shows how something will be made**

青写真、設計図

ⓘ 比喩的に「(将来の) 青写真」という意味でも用いられる。

例 Thankfully the **blueprints** were recovered, and the church was able to be rebuilt after the fire.

幸いなことに、火事のあと設計図が焼け跡から見つかり、教会は再建することができた。

187

comprise

/ kəmpráɪz /

動 **to be made up of**

～から成る

≒ consist of, be composed of

ⓘ 他動詞である点に注意。

〈com-(共に)+prise(保つ)〉

例 The Board of Education **comprises** 20 members.

教育委員会は20人のメンバーで構成されている。

188

uniformly

/ júːnəfɔ̀ːrmli /

形 uniform 均一の

副 **in a way that has no variation and is completely the same**

均一に、一律に

〈uni(1つ)+form(形)+-ly(副詞)〉

例 Quality standards are applied **uniformly** across all factory locations.

品質基準は、すべての工場のエリアに均一に適用される。

189

diagnosis

/ dàɪəgnóʊsɪs /

名 **the process of figuring out what is wrong with someone or something by examining them and doing tests**

診断

例 The **diagnosis** for many common illnesses can only be completed by having a blood test.

多くの一般的な病気の診断は、血液検査を受けることで初めて完了する。

□□□ 190

beforehand

/ bɪfɔ́ːrhæ̀nd /

副 **before something else happens or is done**

事前に

≒ in advance

⇔ afterward(s)

例 Please let us know **beforehand** if you have any food allergies so we can accommodate you.

食品アレルギーのある方は、ご希望に合わせて調整しますので事前にお知らせください。

□□□ 191

intake

/ ínteɪk /

名 **the amount of something taken in**

摂取量

≒ consumption, input

⇔ output

例 Luke Davis, a famous bodybuilder, carefully monitors his daily calorie **intake**, especially before a competition.

有名なボディービルダーであるLuke Davisは、特に競技会の前は、毎日のカロリー摂取量を注意深く監視している。

□□□ 192

indicator

/ índəkèɪtər /

動 indicate ～を示す

名 ① **a device on a machine that shows information about something**

表示器、計器

≒ meter

例 As the depth **indicator** on the device wasn't functional, we requested a refund.

装置の深度表示器が機能しなかったため、返金を求めた。

② **something that is understood as a sign of something else**

指標

例 Level of education is not necessarily a good **indicator** of how skilled or intelligent an individual is.

教育レベルは、必ずしも人がどれだけ熟練しているか、あるいは知的であるかを示すよい指標とはならない。

□□□ 193

anonymous

/ ənɑ́:nəməs | ənɔ́nɪ- /

副 anonymously 匿名で
名 anonymity 匿名

形 not named

匿名の

≒ nameless, unidentified

⇔ known

〈an-（〜のない）+onym（名前）+-ous（満ちた）〉

例 The information came from an **anonymous** source who is not authorized to speak to the public.

その情報は、一般の人々に対して発言することを許可されていない匿名の情報源からのものだ。

□□□ 194

vertical

/ və́:rtɪkl /

形 going straight up and down or top to bottom

垂直の

⇔ horizontal

例 Each office in our building comes equipped with a **vertical** filing cabinet where you may store essential documents.

私たちの建物の各オフィスには、重要な書類を保管できる縦型のファイル用キャビネットが備わっている。

□□□ 195

vacant

/ véɪkənt /

名 vacancy 空き、欠員
動 vacate 〜をからにする

形 ① not occupied by someone, usually referring to a job

欠員の

≒ open, unfilled

⇔ filled

〈vac（からの）+-ant（形容詞）〉

例 Berkin's Buttons is looking to fill some **vacant** positions on their development team.

Berkin's Buttonsは、開発チームの欠員を埋めようとしている。

② not used, filled, or lived in

空いている、使われていない

≒ empty, free, available ⇔ taken, unavailable

例 The apartment on the corner of Hulk Avenue has been **vacant** for years.

Hulk通りの角にあるアパートは何年も空いている。

□□□ 196

virtually

/ vә́ːrtʃuәli /

㊊ virtual 仮想の、バーチャルな

副 **almost entirely**

ほとんど、事実上

≒ basically, practically

例 Only a year ago, our sneakers were **virtually** unknown, but now we can't restock them fast enough.

ほんの1年前、当社のスニーカーはほとんど知られていなかったが、今では補充が追いつかないほどだ。

□□□ 197

duration

/ d(j)uréɪʃәn /

形 durable 耐久性のある

名 **the length of time that something continues**

継続期間

≒ extent

〈dur（続く）+-ation（名詞）〉

例 You will not be permitted to work for other companies in this field for the **duration** of your contract with us.

当社との契約期間中は、この分野の他の会社で働くことは認められません。

□□□ 198

qualified

/ kwáːlәfàɪd | kwɔ́lɪ- /

動 qualify ～に資格を与える

形 **having the knowledge, experience, or skills needed to do something**

適任の、資格のある

例 Given her experience in programming, she is more than **qualified** for this position.

プログラミングの経験を考えると、彼女はこの役職に十二分に適任だ。

□□□ 199

subsequent

/ sʌ́bsɪkwәnt /

副 subsequently その後、後で

形 **coming after something else**

その後の、それに続く

≒ consecutive, following

⇔ previous, prior

〈sub-（下に）+sequ（ついていく）+-ent（形容詞）〉

例 **Subsequent** studies have proven that our initial findings were correct.

その後の研究により、われわれの最初の発見は正しかったことが証明された。

□□□ 200

premier

/ prɪmíər | prémiə /

形 **best or most important**

主要な、一流の

≒ top

〈prem（1番目の）+ -ier（人）〉

例 We are one of the **premier** tour providers in the county.

当社は郡内で最高のツアープロバイダーの一つです。

□□□ 201

autograph

/ ɔ́:təgræ̀f | ɔ́:təgrɑ̀:f /

名 **the signature of a famous person, especially one that is written for a fan**

（有名人の）サイン

i 「～にサインする」という動詞の意味もある。「（契約書などへの）署名」の意味の「サイン」はsignatureと言う。

〈auto-（自身の）+graph（書かれたもの）〉

例 James Jung will sign **autographs** this Saturday afternoon at Storiza Book Store.

James Jungは今週の土曜の午後、Storiza書店にてサイン会を開きます。

□□□ 202

outfit

/ áʊtfɪ̀t /

名 **clothing that is worn as a set**

（一そろいの）衣服

≒ ensemble

i 「用具［装備］一式」という意味もある。

例 She kept her **outfit** for the conference professional by wearing a suit.

彼女は会議用の服にスーツを着用し、ビシッと決めていた。

202語

動 **to provide someone or something with clothing or equipment**

～に（衣服［装備］を）与える

例 All of our cars are **outfitted** with the best stereo systems money can buy.

わが社の車はすべて、市販されている中で最高のステレオシステムを備えています。

□□□ 203

markedly

/ mɑ́ːrkɪdli /

副 **in a way that is easy to notice**

著しく、際立って

動 mark ～に印をつける、〈時期〉を示す
形 marked 著しい；明白な

≒ noticeably

ⓘ edの発音に注意。

例 This village has changed **markedly** over the past 20 years.

この村は過去20年間で著しく変化した。

□□□ 204

interruption

/ ìntərʌ́pʃən /

名 **something that causes an activity to stop for a period of time**

中断

動 interrupt ～を（一時）中断する

〈inter-（間に）+rupt（破る）+-ion（名詞）〉

例 The thunderstorm caused a brief **interruption** in service, but power has now been restored to most households.

雷雨により一時的に電気の供給が中断したが、現在ほとんどの家庭で復旧している。

□□□ 205

respectively

/ rɪspéktɪvli /

副 **in the same order as what was just mentioned**

それぞれ

形 respective それぞれの

例 The Deluxe Suite and the Ultra Deluxe Suite cost $300 and $400 **respectively**.

デラックススイートとウルトラデラックススイートの料金はそれぞれ300ドルと400ドルだ。

□□□ 206

incentive

/ ɪnséntɪv /

名 **something that makes people want to do something**

動機、インセンティブ

≒ encouragement, motivation ⇔ deterrent

例 We offer all of our recruiters financial **incentives** for meeting their monthly quotas.

毎月のノルマを達成したすべての採用担当者に報奨金を出します。

□□□ 207

bid

/ bíd /

名 bidding 入札、競り
名 bidder 入札者

名 an offer to do a job for a specific price

入札

≒ proposal

ⓘ 「(オークションにおける) 入札」という意味もある。

例 The city received **bids** from companies all over the country for the construction of their new stadium.

市は、新スタジアムの建設について全国の企業から入札を受けた。

動 to offer to do a job for a specific price

入札する

例 At least five different companies are currently **bidding** for the bridge construction project.

現在、少なくとも5つの異なる企業が橋の建設プロジェクトに入札している。

□□□ 208

dividend

/ dívədènd /

名 money paid to stockholders

(株式の)配当

〈divid (分ける) +-end (されたもの)〉

例 **Dividends** will be distributed in quarterly payments to all shareholders.

配当金は四半期ごとにすべての株主に分配される。

□□□ 209

deem

/ dí:m /

動 to judge or determine something to be a certain way

～を(…と)考える、見なす

≒ consider

ⓘ 〈deem AB〉(AをBと考える) の形で押さえておこう。

例 The scheduling app that we developed will only be **deemed** successful once we have passed 100,000 users.

当社が開発したスケジュールアプリは、ユーザーが10万人を超えて初めて成功したと見なされる。

□□□ 210

utmost

/ ʌ́tmòʊst /

形 **highest in degree or amount**

最大の、最高の

≒ ultimate

ⓘ 名詞の前で使う。「最大限、最高」という名詞の意味もある。

例 It is of the **utmost** importance that this information is not leaked to the public.

この情報が一般に漏えいしないことが最も重要だ。

□□□ 211

appliance

/ əpláɪəns /

名 **a machine that uses electricity and is found in people's homes**

電化製品、器具

例 Frank's Home Store offers the widest range of kitchen **appliances** in town.

Frank's Home Storeは、町で最も幅広いキッチン家電を提供している。

□□□ 212

attachment

/ ətǽtʃmənt /

動 attach ～を添付する

名 ① **a document or other file that is sent with an e-mail**

添付ファイル

〈at-（～に）+tach（触る）+ -ment（名詞）〉

例 Please be sure to send your résumé as an e-mail **attachment**.

履歴書は必ずメールの添付ファイルとしてお送りください。

② **an extra part that can be optionally added to a machine to make it do an additional job**

付属品

≒ accessory

例 The food processor comes with a number of **attachments**, such as a special blade for grating cheese.

そのフードプロセッサーには、チーズおろし用の特殊な刃など、多くの付属品がついている。

□□□ 213

agenda

/ əʤéndə /

名 **a list of things that have to be done or considered**

（会議などの）議題、予定表

≒ plan, schedule

例 At the top of the **agenda** for today is determining who will succeed the company president when she retires.

今日の最重要課題は、社長が引退したときに誰が引き継ぐかを決めることだ。

□□□ 214

successive

/ səksésɪv /

副 successively 連続して
名 succession 連続
名 successor 後継者

形 **coming one after the other**

連続する、相次ぐ

≒ consecutive

例 The Jumping Tigers have won five **successive** games so far this season.

Jumping Tigersは今シーズンこれまで5連勝している。

□□□ 215

fiscal year

/ fískl jíər /

名 **the 12 month period over which a company calculates its profits and losses**

会計年度

例 For those companies with **fiscal years** ending on March 31, all tax documentation must be submitted by the end of April.

会計年度が3月31日に終わる会社の場合、すべての税務書類は4月末までに提出しなければならない。

□□□ 216

identical

/ aɪdéntɪkl /

副 identically 同様に、等しく

形 **completely the same**

同一の

≒ equal

⇔ different

例 While these two pairs of scissors may be **identical** in appearance, ours have far superior blades.

この2つのはさみは見た目は同じかもしれませんが、当社のはさみの刃のほうがはるかに優れています。

□□□ 217

deliberation

/ dɪlìbəréɪʃən /

動 deliberate ～を熟考する
副 deliberately 慎重に；故意に

名 ① careful thought or discussion to reach a conclusion

熟考

≒ consideration

〈de-（完全に）+liber（天秤にかける）+-ation（名詞）〉

例 After careful **deliberation**, it was decided that the tour would be canceled due to poor weather.

慎重に検討した結果、悪天候のためツアーの中止が決まった。

② the quality of being slow and careful

慎重、細心

例 The mayor answered each interview question with great **deliberation**.

市長はインタビューの質問一つひとつに対し、非常に慎重に返答した。

□□□ 218

landlord

/ lǽndlɔ̀ːrd /

名 a person who owns a space and rents it to others to use

家主、大家

⇔ tenant

例 We offer comprehensive management services for **landlords** that want to take a hands-off approach.

無干渉アプローチを希望する家主さまのため、当社では包括的な管理サービスをご提供しています。

□□□ 219

congratulate

/ kəngrǽtʃəlèɪt | -grǽtʃu- /

名 congratulation お祝い
形 congratulatory お祝いの

動 to say that you are happy for someone because of their success or good luck

〈人〉を祝う

i 〈congratulate A on B〉（BのことでAを祝福する）の形も押さえておこう。

〈con-（共に）+grat（喜び）+-ulate（動詞）〉

例 We **congratulate** all staff who successfully completed their training this week.

今週、研修を無事に修了したすべてのスタッフの皆さん、おめでとうございます。

220

postage

/ póustɪʤ /

名 post 郵便

名 **the money charged for sending something in the mail**

郵便料金、送料

ⓘ「配送料」はdelivery chargeやshipping rateなどと言う。

例 **Postage** will be free for all customers who spend over $100.

100ドル以上お買い上げのお客さまは送料無料となります。

221

enforce

/ ɪnfɔ́ːrs /

名 enforcement（法律などの）施行、実施

動 **to make sure that people do what is required**

～を実施する、施行する

〈en-（～にする）+force（強い）〉

例 The deadline for story submissions will be strictly **enforced**.

小説の提出期限は厳格に施行されます。

222

staircase

/ stéərkèɪs /

名 **a set of stairs and its supports that is inside of a building**

（手すりなどを含む）階段

≒ stairway

例 Please use the **staircase** in the event of an emergency.

緊急時には階段をご利用ください。

223

lumber

/ lʌ́mbər /

名 **wooden logs that have been sawed and cut for use in building or other projects**

材木、板材

≒ timber

例 The recent **lumber** shortage has driven up prices of building significantly.

最近の材木不足は、建築価格を大幅に押し上げた。

□□□ 224

bias

/ báɪəs /

形 biased 〈人・意見などが〉偏った、偏見を抱いた

名 **prejudice for or against something**

(考え方の) 偏り、偏向

≒ favoritism ⇔ fairness, impartiality

ⓘ 形容詞形のbiasedも非常によく使われる。

例 The RIC Gazette tends to show a lot of **bias** for more conservative politicians.

RIC Gazette紙は、保守的な傾向の強い政治家に大きく肩入れする傾向がある。

□□□ 225

thrive

/ θráɪv /

動 **to become and continue to be very successful, strong, healthy, etc.**

繁栄する、成功する

≒ flourish, prosper

⇔ wither, struggle

例 Our stationery business has been **thriving** with the increasing popularity of sending traditional letters.

当社の文房具事業は、伝統的な手紙を送る人気の高まりとともに繁栄してきた。

□□□ 226

cosmetic

/ kɑːzmétɪk | kɔz- /

形 **used or done to improve the appearance of someone or something**

美容の、飾りの

例 This group of customers is more likely to purchase **cosmetic** upgrades like computer cases with artistic designs on them.

この顧客グループのほうが、芸術的なデザインのコンピュータケースのようなグレードアップされた装飾品を購入する傾向がある。

名 **a substance used to make your face or body look nicer**

化粧品

ⓘ ふつう複数形で使う。

例 All of our **cosmetics** are produced without animal testing.

わが社の化粧品はすべて、動物実験なしで製造されています。

□□□ 227

obscure

/ əbskjúər /

形 **not well known (and therefore unlikely or difficult to be understood)**

不明瞭な、はっきりしない

副 obscurely 不明瞭に
名 obscurity 世に知られていないこと、無名

≒ esoteric

ⓘ「～を曖昧にする」という動詞の意味もある。

例 The movie makes many **obscure** references that only serious fans of classical music will recognize.

その映画には、クラシック音楽の熱心なファンにしかわからない多くのあいまいな言及がなされている。

□□□ 228

superb

/ su(ː)pə́ːrb /

形 **extremely good**

素晴らしい

副 superbly 素晴らしく

≒ excellent

例 Gail's Family Diner has the most **superb** cherry pie in town.

Gail's Family Dinerには、町で一番おいしいチェリーパイがある。

□□□ 229

trustee

/ trʌ̀stíː /

名 **a member of a group that controls the money of an organization**

（会社などの）評議員、理事

ⓘ アクセントの位置に注意。

例 The next board of **trustees** meeting will be about the upcoming charity fundraiser.

次回の理事会は、来たるチャリティー募金活動に関するものです。

□□□ 230

namesake

/ néɪmsèɪk /

名 **a person or thing that shares a name with someone or something else**

同名の人[もの]

例 Arthur McQueen paved the way for his son and **namesake** to inherit the family pottery business.

Arthur McQueenは、同名の息子が家族の陶器事業を継承する道を開いた。

□□□ 231

legitimate

/ lɪʤítəmət /

副 legitimately 合法的に
名 legitimacy 合法性、適法性

形 **correct or lawful**

正当な、適法の

≒ real, recognized, authentic ⇔ false, fake

例 Whether or not your company has a **legitimate** claim to this land will be judged in a court of law.

御社がこの土地に対する正当な権利を有しているかどうかは、法廷で判断されます。

□□□ 232

applaud

/ əplɔ́:d /

名 applause 拍手；称賛

動 **to hit your open hands together over and over again to show you like something**

～に拍手を送る

≒ clap

〈ap-（～に）+plaud（拍手する）〉

例 The audience **applauded** loudly after the presentation on our new microphone hardware finished.

新しいマイク・ハードウェアについての私たちのプレゼンテーションが終了すると、聴衆は拍手喝采した。

□□□ 233

astronomy

/ əstrɑ́:nəmi | -trɔ́n- /

形 astronomical 天文学の
名 astronomer 天文学者

名 **the science and study of stars, planets, and other things that are in outer space**

天文学

〈astro（星）+nomy（法則）〉

例 He was a professor of **astronomy** prior to joining our organization.

彼は私たちの組織に加わる前は天文学の教授だった。

□□□ 234

resistant

/ rɪzístənt /

動 resist ～に抵抗する
名 resistance 抵抗（力）

形 **not affected or damaged by something**

耐久性のある、耐性のある

〈re-（～に反して）+sist（立つ）+-ant（形容詞）〉

例 Our water **resistant** rain gear is the best commercially available.

当社の耐水性雨具は、市販されている中で最高のものです。

□□□ 235

compulsory

/ kəmpʌ́lsəri /

名 compulsion 無理強い
形 compulsive 衝動的な

形 required according to a law or rule

必須の

≒ mandatory, obligatory

⇔ optional, voluntary

〈com-（共に）+puls（駆り立てる）+-ory（形容詞）〉

例 It is **compulsory** for our employees to attend anti-harassment training four times a year.

従業員は年4回のハラスメント防止研修に参加することが義務づけられている。

□□□ 236

pastime

/ pǽstàɪm | pɑ́ːs- /

名 an activity that you like to do when you have free time

娯楽、気晴らし

≒ hobby, recreation

〈pas（過ぎる）+time（時間）〉

例 Mr. Michaels played trumpet as a **pastime** before becoming a professional musician.

Michaelsさんはプロのミュージシャンになる前に娯楽としてトランペットを演奏していた。

□□□ 237

petition

/ pətíʃən /

名 a written document (signed by many people) requesting something

嘆願書

≒ appeal, request

例 More than 20,000 people have signed the **petition** to stop the new dam construction from happening.

2万人以上の人々が、新しいダムの建設が始まらないようにするための請願書に署名した。

動 to formally ask a government or organization for something

嘆願する、求める

例 The waitresses **petitioned** for the right to wear flat shoes at work.

ウェイトレスたちは仕事で底が平らな靴を履く権利を求めた。

237語

238

cookware

/ kʊ́kwèər /

名 **items and equipment used for cooking**

調理器具

≒ kitchenware

ⓘ 不可算名詞。kitchen utensils（台所用品、調理器具）という表現も覚えておこう。

例 That company has been producing stainless steel **cookware** for decades.

その会社は何十年もの間ステンレス製の調理器具を生産してきた。

239

reinforce

/ rìːɪnfɔ́ːrs /

名 reinforcement 補強、強化

動 **to strengthen something by adding more to it**

～を強化する､補強する

≒ bolster, fortify

⇔ diminish, weaken

〈re-（再び）+in（～にする）+force（強い）〉

例 The volunteer firefighters have been called to **reinforce** the riverbanks with sandbags prior to the storm.

嵐の前、土のうで川岸を補強するためにボランティアの消防士たちが呼ばれた。

240

elaborate

/ ɪlǽbərət /

副 elaborately 入念に、凝って
名 elaboration 入念な仕上げ；詳述

形 **having a large number of small parts or details that are carefully arranged or planned**

手の込んだ

≒ intricate, complex

⇔ simple

〈ex-（外に）+labor（労働）+-ate（形容詞）〉

ⓘ「～を詳しく述べる；～を精巧に作り上げる」という動詞の意味もある。その場合の発音は/ɪlǽbərèɪt/。

例 The ceiling of the Continental State Hotel has an **elaborate** Russian-inspired design.

Continental Stateホテルの天井には、ロシア風の手の込んだデザインが施されている。

章末ボキャブラリーチェック

次の語義が表す英単語を答えてください。

語義	解答	連番
❶ best or most important	premier	200
❷ prejudice for or against something	bias	224
❸ to hit your open hands together over and over again to show you like something	applaud	232
❹ the 12 month period over which a company calculates its profits and losses	fiscal year	215
❺ a list of things that have to be done or considered	agenda	213
❻ not occupied by someone, usually referring to a job	vacant	195
❼ the money charged for sending something in the mail	postage	220
❽ used to show something that is assumed	given	169
❾ a sheet of strong cloth that stretches out from a building to keep the sun or rain off of people	awning	174
❿ the way an object feels when touched	texture	170
⓫ wooden logs that have been sawed and cut for use in building or other projects	lumber	223
⓬ a photographic print that shows how something will be made	blueprint	186
⓭ a member of a group that controls the money of an organization	trustee	229
⓮ a set of stairs and its supports that is inside of a building	staircase	222
⓯ before something else happens or is done	beforehand	190
⓰ something that causes an activity to stop for a period of time	interruption	204
⓱ highest in degree or amount	utmost	210
⓲ an agreement to borrow money to buy a home	mortgage	168
⓳ the science and study of stars, planets, and other things that are in outer space	astronomy	233

240語

語義	解答	連番
⑳ to reduce the number of people who work in an organization to lower costs	downsize	167
㉑ something that makes people want to do something	incentive	206
㉒ the length of time that something continues	duration	197
㉓ a person who owns a space and rents it to others to use	landlord	218
㉔ to get something in return for something you have done	reap	178
㉕ work such as cleaning and laundry that needs to be done, especially in a hotel	housekeeping	172
㉖ not named	anonymous	193
㉗ an offer to do a job for a specific price	bid	207
㉘ a feeling of being thankful	gratitude	166
㉙ able to be applied or used in a specific situation	applicable	173
㉚ the signature of a famous person, especially one that is written for a fan	autograph	201
㉛ an agreement that you make with a company and usually pay for to regularly receive a certain product	subscription	184
㉜ a document or other file that is sent with an e-mail	attachment	212
㉝ to strengthen something by adding more to it	reinforce	239
㉞ including many or all parts	comprehensive	162
㉟ in a way that is easy to notice	markedly	203
㊱ a general description or explanation of something specific	overview	177
㊲ an activity that you like to do when you have free time	pastime	236
㊳ in the same order as what was just mentioned	respectively	205
㊴ not well known (and therefore unlikely or difficult to be understood)	obscure	227
㊵ the amount of something taken in	intake	191
㊶ a device on a machine that shows information about something	indicator	192

語義	解答	連番
㊷ money paid to stockholders	dividend	208
㊸ not affected or damaged by something	resistant	234
㊹ items and equipment used for cooking	cookware	238
㊺ producing a good outcome	fruitful	182
㊻ clothing that is worn as a set	outfit	202
㊼ coming one after the other	successive	214
㊽ to accept an idea or concept	embrace	185
㊾ almost entirely	virtually	196
㊿ in a way that has no variation and is completely the same	uniformly	188
51 someone who works in a library	librarian	175
52 to say that you are happy for someone because of their success or good luck	congratulate	219
53 completely the same	identical	216
54 to create or plan something that is difficult	devise	165
55 required according to a law or rule	compulsory	235
56 having the knowledge, experience, or skills needed to do something	qualified	198
57 correct or lawful	legitimate	231
58 a passage in a building that leads to rooms on the sides	hallway	161
59 time spent working that is done outside expected working hours	overtime	179
60 a small fold that forms on your skin when you get older, or a small fold in a material	wrinkle	180
61 careful thought or discussion to reach a conclusion	deliberation	217
62 to be made up of	comprise	187
63 coming after something else	subsequent	199
64 to make sure that people do what is required	enforce	221
65 a person or thing that shares a name with someone or something else	namesake	230

語義	解答	連番
(66) going straight up and down or top to bottom	vertical	194
(67) a written document (signed by many people) requesting something	petition	237
(68) to judge or determine something to be a certain way	deem	209
(69) the process of figuring out what is wrong with someone or something by examining them and doing tests	diagnosis	189
(70) used or done to improve the appearance of someone or something	cosmetic	226
(71) extremely good	superb	228
(72) to gather something little by little over time	accumulate	163
(73) to become and continue to be very successful, strong, healthy, etc.	thrive	225
(74) the skill or knowledge of an expert	expertise	171
(75) expected or likely to become something	prospective	176
(76) a person or company that is hired to provide goods or services at a certain price or by a certain time	contractor	181
(77) working with care or continued effort	diligent	164
(78) a machine that uses electricity and is found in people's homes	appliance	211
(79) having a large number of small parts or details that are carefully arranged or planned	elaborate	240
(80) a short task done that involves going somewhere to deliver or collect something	errand	183

言い換えのパターン：難易度の異なる語句

言い換えには、purchase（～を購入する）の代わりにbuy（～を買う）と表現するように、難しい単語をやさしい単語で言い換えるパターンもあります。テストでは、逆にやさしい単語が難しい単語に言い換えられることもあります。

名詞

- □ enterprise ⇔ company（企業）
- □ merchandise ⇔ goods（商品）
- □ foundation ⇔ base（基盤）
- □ promptness ⇔ speed（素早さ）
- □ endeavor ⇔ effort（努力）
- □ achievement ⇔ success（成功）
- □ fitness ⇔ health（健康）
- □ pastime ⇔ hobby（趣味）
- □ remuneration ⇔ reward（報酬）
- □ intermission ⇔ break（休止）
- □ celebrity ⇔ star（有名人）
- □ inventory ⇔ stock（在庫）
- □ cuisine ⇔ food（料理）
- □ auditorium ⇔ hall（ホール）
- □ questionnaire ⇔ survey（アンケート）
- □ proprietor ⇔ owner（オーナー）

動詞

- □ **impress ⇔ move**（〜を感動させる）
- □ **expedite ⇔ rush**（〜を手早く片づける）
- □ **speculate ⇔ consider**（（…と）考える）
- □ **assemble ⇔ gather**（〜を集める）
- □ **implement ⇔ perform**（〜を実践する）
- □ **emphasize ⇔ stress**（〜を強調する）
- □ **elucidate ⇔ clarify**（〜を解明する）
- □ **proofread ⇔ check**（〜を校正する）
- □ **facilitate ⇔ ease**（〜を容易にする）
- □ **aggravate ⇔ worsen**（〜を悪化させる）

形容詞

- □ **famous ⇔ renowned**（有名な）
- □ **significant ⇔ important**（重要な）
- □ **bulk ⇔ large**（大口の）
- □ **incorrect ⇔ wrong**（不正確な）
- □ **transparent ⇔ clear**（透明な）
- □ **profound ⇔ deep**（深い）
- □ **vacant ⇔ open**（欠員の）
- □ **vigorous ⇔ strong**（活力にあふれた）
- □ **affluent ⇔ rich**（裕福な）
- □ **approximate ⇔ rough**（概算の）
- □ **equivalent ⇔ equal**（同等の）

Stage 4

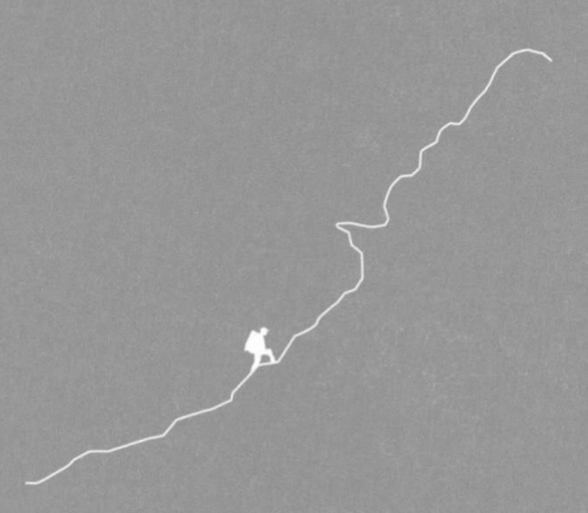

Slow and steady wins the race.
急がば回れ。

□□□ 241

clarify

/ klǽrəfàɪ /

名 clarity 明快さ
名 clarification 明確化

動 **to make something clear or easy to understand**

～を明確にする、はっきりさせる

≒ define

〈clar（はっきりした）+ify（～にする）〉

例 There will be a question and answer session at the end to **clarify** any points attendees find confusing.

最後に、参加者にわかりづらい点を明確にするための質疑応答の時間がある。

□□□ 242

notable

/ nóʊtəbl /

副 notably 目立って
動 note ～に注意［注目］する

形 **impressive or easy to notice**

注目に値する、傑出した

≒ remarkable, striking ⇔ ordinary, insignificant

〈not（印をつける）＋-able（できる）〉

i noteworthy（注目に値する）という語も覚えておこう。

例 That cathedral is a **notable** example of neo-Gothic architecture in North America.

その大聖堂は、北アメリカのネオゴシック建築の傑出した例だ。

□□□ 243

cater

/ kéɪtər /

名 catering 仕出し業、ケータリング
名 caterer 仕出し屋

動 ① **to provide food and drinks at a gathering for money**

～で仕出しをする、ケータリングする

例 We can **cater** events of any size and accommodate any dietary restrictions indicated.

当社はあらゆる規模のイベントに料理をご提供し、指示された食事制限に対応することができます。

② **to provide something that is wanted or needed by someone or something**

要望に応える

i cater to（～に必要なものを提供する）の形で押さえておこう。

例 At G.I. Hotel, we do our best to **cater** to the unique needs of all of our customers.

当G.I.ホテルでは、すべてのお客さまの独自のニーズにお応えするべく、最善を尽くしております。

□□□ 244

amend

/ əménd /

名 amendment （法律・規則などの）改正

動 **to change a part of something, such as a document or law**

〈法律・規則など〉を修正する

≒ alter, revise

〈a-（離れて）+mend（欠点）〉

例 After much debate, the department head agreed to **amend** the rules regarding paid leave.

多くの議論の末、部長は有給休暇に関する規則を改正することに同意した。

□□□ 245

orchard

/ ɔ́ːrtʃərd /

名 **a place where fruit trees are grown together**

果樹園

例 For the low price of $20 per person, you can enter our apple **orchard** and pick all the fruit you want.

1人あたり20ドルという低料金で、当りんご園に入り、好きなだけりんごを摘むことができます。

□□□ 246

cubicle

/ kjúːbɪkl /

名 **a small part of a room that is separated from the rest of the room using moveable low walls**

（パーティションで仕切られた）仕事スペース

例 Each employee will be assigned their own office **cubicle** for the duration of their employment with us.

各従業員には、当社での雇用期間中、間仕切りのある専用の作業スペースが割り当てられます。

□□□ 247

projection

/ prədʒékʃən /

名 projector 映写機、プロジェクター

名 **a prediction based on the current situation**

予測

≒ estimate, forecast

〈pro-（前に）+ject（投げる）+-ion（名詞）〉

ⓘ project（事業計画）には、「～を投影する；～を予測する」という動詞の意味もある。

例 While initial **projections** showed a profit for these products, there has actually been a loss.

当初の予測ではこれらの製品には利益が示されていたが、実際には損失があった。

□□□ 248

alternate

/ ɔ́:ltərnət | ɔ:ltə́:nət /

副 alternately 代わる代わる
名 alternation 交代

形 **used to replace something or different than usual**

いつもと別の、代替の

≒ alternative

例 Main Street will be closed during the festival, so drivers will need to take an **alternate** route.

祭りの期間中はMain通りが閉鎖されるため、ドライバーは別の道を利用する必要がある。

□□□ 249

diploma

/ dɪplóʊmə /

名 **a document that shows someone has completed a course of study or graduated from a school**

（高校・大学の）卒業証書

例 Only those that have at least a high school **diploma** will be considered for this position.

最低でも高校の卒業証書を有していない人は、この職の考慮対象にはなりません。

□□□ 250

correspond

/ kɔ̀:rəspɑ́:nd | kɔ̀rɪspɔ́nd /

名 correspondence 通信、連絡
名 correspondent 特派員

動 ① **to write to someone and have them reply to you**

連絡する、文通する

例 Our artists are not able to **correspond** directly with fans as it is a breach of their contract.

契約違反にあたるため、弊社のアーティストはファンと直接手紙をやり取りすることはできません。

② **to have a relationship to or with something**

一致する、合致する

≒ correlate

⇔ disagree, conflict

例 Public tax records do not **correspond** with internal records discovered at the company.

公的な納税記録は、会社で見つかった内部記録と一致しない。

□□□ 251

vigorous

/ vígərəs /

副 vigorously 精力的に、力強く
名 vigor 活力、元気

形 **done with a lot of energy or force**

活力にあふれた

≒ strong, robust ⇔ feeble, weak

例 **Vigorous** exercise allowed Ms. Park to live well into her nineties.

活発な運動のおかげで、Parkさんは90代まで元気に暮らすことができた。

□□□ 252

intensive

/ ɪnténsɪv /

副 intensively 集中的に
名 intensity 強烈さ
動 intensify ～を強くする

形 **involving a lot of energy or effort**

集中的な

≒ comprehensive

〈in-（中に）+tens（伸ばす）+-ive（形容詞）〉

i 病院のICU（集中治療室）は、intensive care unitの略。

例 This year, we will be offering a two-week **intensive** seminar for anyone wishing to get their accounting license.

今年は、会計士の資格を取得したい方のために2週間の集中セミナーを開催します。

□□□ 253

simplify

/ símpləfàɪ /

形 simple 簡単な、単純な
名 simplification 単純化

動 **to make something easier to do or understand**

～を簡単にする、単純にする

〈sim（1つ）+ pli（折る）+-fy（～にする）〉

例 This accounting software **simplifies** the tax filing process greatly.

この会計ソフトは、納税申告のプロセスを大幅に簡素化する。

□□□ 254

complement

/ ká:mpləmènt | kɔ́mplɪ- /

形 complementary 補足的な

動 **to make something complete or better**

～を補う、補完する

≒ supplement ⇔ detract

i compliment（～を褒める）と同音。「補完物」という名詞の意味もある。名詞の発音は/ká:mpləmənt/。

例 The light sauce **complemented** the taste of the fish perfectly.

軽めのソースが魚の味を完璧に引き立てた。

□□□ 255

banquet

/ bǽŋkwət | -kwɪt /

名 **a formal dinner attended by many people, usually for celebrations or important occasions**

晩さん会、祝宴

例 An annual **banquet** is held by the city to celebrate a successful tourist season.

観光シーズンの成功を祝うために、毎年恒例の晩さん会が市によって開催される。

□□□ 256

municipal

/ mju(ː)nísəpl /

名 municipality 地方自治体

形 **relating or belonging to the government of a town or city**

市の、町の

ⓘ 名詞の前で使う。

例 The **municipal** government is in charge of allocating funds to the various health organizations.

地方自治体は、さまざまな保健機関への資金の割り当てを担当している。

□□□ 257

nominate

/ nάːmənèɪt | nɔ́m- /

名 nomination 推薦、指名
名 nominee 推薦された人

動 **to officially suggest someone or something for an important position, prize, etc.**

～を（候補として）推薦する、ノミネートする

例 Ms. Peters has been **nominated** for Philanthropist of the Year.

Petersさんは慈善家オブザイヤーにノミネートされている。

□□□ 258

disposal

/ dɪspóʊzl /

形 disposable 使い捨ての

名 **the act of getting rid of something**

処分、処理

≒ removal, clearance

〈dis-（離れた）+ pos（置く）+ -al（名詞）〉

ⓘ「自由に使えること、（自由）裁量」という意味もある。dispose of（～を処分する）という表現も覚えておこう。

例 Sewage **disposal** continues to be a problem in this scenic port.

この風光明媚な港では、下水処理が引き続き問題となっている。

□□□ 259

induce

/ ɪnd(j)ú:s /

動 **to make someone do something or make something happen**

～を引き起こす、誘発する

≒ cause, prompt, urge ⇔ discourage, prevent

名 inducement (…する) 気にさせるもの

〈in- (中に) +duce (導く)〉

例 This training program is meant to **induce** people to make healthier food choices.

このトレーニングプログラムは、人々により健康的な食品選びを促すことを目的としている。

□□□ 260

collision

/ kəlíʒən /

名 **the act of two or more things crashing into one another**

衝突

⇔ avoidance

動 collide 衝突する、ぶつかる

例 One man has been sent to the hospital after a head-on **collision** on the freeway this evening.

今夜、高速道路での正面衝突のあと、一人の男性が病院に運ばれた。

□□□ 261

knowledgeable

/ ná:lɪʤəbl /

形 **knowing a lot about a certain topic**

博識な

≒ well-informed

名 knowledge 知識

例 Years of independent study have allowed her to become extremely **knowledgeable** in the migratory patterns of birds.

何年にもわたる独自の研究により、彼女は鳥の渡りのパターンに非常に詳しくなった。

□□□ 262

intersection

/ ìntərsékʃən /

名 **a place where two or more things, especially streets, meet or cross each other**

交差点

≒ crossroads

例 This **intersection** is known for having a lot of accidents.

この交差点は事故が多いことで知られている。

□□□ 263

liable

/ láɪəbl /

名 liability 法的責任；債務

形 **legally responsible for something**

法的責任がある

≒ accountable

例 Please be aware that our company will not be **liable** for any injuries that occur if you choose to proceed.

先に進んだ場合に生じたけがについては、当社は一切責任を負いかねますので、あらかじめご了承ください。

□□□ 264

compensate

/ kɑ́:mpənsèɪt | kɔ́m- /

形 compensatory 補償の、埋め合わせの
名 compensation 補償

動 **to give something of value to someone in return for something of equal value**

〈人〉に補償する、報いる

≒ make up, reimburse

〈con-（共に）+pens（釣り合い）+-ate（動詞）〉

例 Passengers will be **compensated** for any cancellations caused by the weather.

天候によるいかなるキャンセルにつきましても、乗客の皆さまは補償されます。

□□□ 265

attentive

/ əténtɪv /

名 attentiveness 気配り；注意深さ

形 ① **making sure people have everything they need**

気の利く、思いやりのある

≒ considerate

⇔ inconsiderate

〈at-（～に）+ tent（伸ばす）+ -ive（形容詞）〉

例 We promise that we hire the most **attentive** nurses for our care facilities.

当介護施設では非常に気配りのある看護師を雇っております。

② **listening to or watching someone or something carefully**

注意深い

⇔ inattentive

例 If you wish to join our company as an editor, you must be **attentive** to detail.

編集者として当社に入社を希望するなら、細かい点にまで注意深い必要があります。

□□□ 266

expenditure

/ ɪkspéndɪtʃər /

名 **the total amount of money that is spent on a particular thing by an organization**

費用、出費

動 expend ～を費やす
名 expense 支出；費用

例 We have to reduce **expenditure** on development so we can boost the marketing budget.

マーケティングの予算を増やせるよう、開発費を削減する必要がある。

□□□ 267

confidential

/ kɑ̀:nfədénʃəl | kɔ̀nfɪ- /

形 **secret or private**

秘密の、機密の

名 confidentiality 秘密であること、機密性
副 confidentially 内密に

≒ classified

⇔ public, open

〈con-（共に）+fid（信用）+ -ential（形容詞）〉

例 The names of the people that participated in the vaccine study are strictly **confidential**.

ワクチン研究に参加した人々の名前は極秘にされている。

□□□ 268

engaging

/ ɪngéɪdʒɪŋ /

形 **interesting and pleasant in a way that holds your attention**

興味をそそる、人を引きつける

名 engagement（会合などの）約束；契約
形 engaged 没頭した

≒ attractive, engrossing

⇔ boring

例 Dr. Whynott told an **engaging** story to open the AIDS Research Conference last weekend.

Whynott博士は先週末、エイズ研究会議の開会のあいさつで興味深い話をした。

□□□ 269

merchandise

/ mə́:rtʃəndàɪz /

名 **objects that are bought and sold**

商品

名 merchandising 販売戦略
名 merchant 商人

≒ goods, products, items

ⓘ 不可算名詞。集合的に「商品」を表す。

例 The snowstorm caused many stores to be unable to restock **merchandise** for customers.

吹雪により、多くの店舗で顧客向けの商品を補充できなくなった。

□□□ 270

refreshments

/ rɪfréʃmənts /

名 **drinks and sometimes small amounts of food**

軽飲食

ⓘ 複数形で使う。

〈re-（再び）+fresh（新しい）+-ments（名詞）〉

例 **Refreshments** will be served in the banquet hall following the presentation.

プレゼンテーション終了後、宴会場で軽食をご用意いたします。

□□□ 271

subsidiary

/ səbsídièri | -əri /

名 **a company owned or controlled by a larger company**

子会社

〈sub-（下に）+sid（座る）+-iary（形容詞）〉

例 One of the company's foreign **subsidiaries** has shut down due to labor law violations.

その会社の海外子会社の一つが、労働法違反により閉鎖された。

□□□ 272

congested

/ kəndʒéstɪd /

名 congestion 混雑

形 **too full or crowded with something**

混雑した

〈con-（共に）+gest（運ぶ）+-ed（された）〉

例 The freeways leaving the city are always **congested** at the start of a long weekend.

街を離れる高速道路は、3連休以上の週末の始まりには常に混雑している。

□□□ 273

prop

/ prá:p | prɔ́p /

動 **to support something by placing it against another object**

～を立てかける

例 The gardener **propped** the rake against the tree so he could clean up the leaves.

庭師は、落ち葉掃除ができるように熊手を木に立てかけた。

274

cashier

/ kæʃíər /

名 **a person whose job is to receive your money and return any change in a store**

レジ係

ⓘ 「レジカウンター」はcheckout counter、「レジ(の機械)」はcash registerと言う。

例 The **cashiers** at Advent Market always smile at all the customers.

Advent Marketのレジ係はいつも、すべての顧客に笑顔で対応している。

275

hypothesis

/ haɪpɑ́:θəsɪs | haɪpɔ́θ- /

動 hypothesize 〜と仮定する
形 hypothetical 仮説の

名 **an unproven idea that leads to more study or discussion**

仮説

ⓘ アクセントの位置に注意。
複数形はhypotheses /haɪpɑ́:θəsì:z/。

〈hypo(下に)+thesis(置く)〉

例 They were able to prove their **hypothesis** about the efficacy of their new drug for the treatment of diabetes.

糖尿病治療のための新薬の有効性について、彼らは仮説を証明することができた。

276

differentiate

/ dìfərénʃièɪt /

形 different 異なる
名 difference 差異、相違

動 **to make someone or something clearly different from another**

〜を区別する

≒ distinguish

例 Our pens can be **differentiated** from those of other companies because of their unique shape.

当社のペンは、独特の形状により、他社のペンと区別することができる。

277

turnover

/ tə́:rnòuvər /

名 **the rate at which people leave an organization and are replaced**

離職率、(人員の)回転率

例 Staff **turnover** in Middlewest Service is high due to issues relating to stress and wages.

ストレスと賃金に関する問題のため、Middlewest Serviceのスタッフの離職率は高い。

□□□ 278

toll

/ tóʊl /

名 **the money that is paid to use a bridge or road**

（道路・橋などの）通行料金

ⓘ toll-free（フリーダイヤルの；無料の）という語も覚えておこう。

例 Be sure to bring cash with you in case your taxi needs to go on a **toll** road.

タクシーが有料道路を使わなければならない場合に備え、現金を持参するようにしてください。

□□□ 279

ballot

/ bǽlət /

名 **the paper on which a vote is marked in an election**

投票、投票用紙

≒ vote, ticket

例 Canadians abroad are able to cast their **ballots** via mail for federal elections.

海外在住のカナダ人は、郵便で連邦選挙に票を投じることができる。

□□□ 280

altitude

/ ǽltət(j)ù:d /

名 **the height of something above sea level**

高さ、海抜

≒ elevation

〈alt（高い）+-itude（名詞）〉

例 People typically start to experience **altitude** sickness 6 to 24 hours after reaching 2,500 m above sea level.

人々は通常、海抜2,500mに達してから6～24時間後に高山病を発症し始める。

□□□ 281

compartment

/ kəmpɑ́:rtmənt /

名 **a separate area in a plane, ship, or train, such as a place to store baggage**

（飛行機・船・列車などの）区切られた空間、もの入れ

例 Luggage that is unable to fit into the overhead **compartment** will have to be checked.

頭上のコンパートメントに収まらない荷物は預ける必要がある。

□□□ 282

mingle

/ míŋgl /

動 **to move around at a party or event and talk casually with many different people**

（パーティーなどで歩き回って）歓談する、交際する

≒ socialize

例 The main speaker at the conference remained to **mingle** with participants for a short while after the lecture was finished.

会議の主賓は、講演終了後しばらくの間、参加者と歓談するために居残った。

□□□ 283

verbal

/ vә́ːrbәl /

副 verbally 口頭で

形 **spoken and not written**

口頭の

≒ oral

〈verb（言葉）+-al（形容詞）〉

ⓘ nonverbal（言葉を使わない）という語も覚えておこう。

例 To be successful in business, you must possess excellent **verbal** and written communication skills.

ビジネスで成功するには、口頭および書面での優れたコミュニケーションスキルが必要だ。

□□□ 284

delegate

/ 名 délɪgәt 動 délɪgèɪt /

名 delegation 委任、代表派遣

名 **someone who has been chosen to speak, vote, or make decisions for others**

（組織を代表して会議などに参加する）代表者

≒ representative

例 Ms. Francis was chosen as part of a group of **delegates** to represent her company.

Francisさんは、彼女の会社の代表団の一員に選ばれた。

284語

動 **to give a task to someone in a position lower than you**

〈権限・任務など〉を委任する、委譲する

例 The manager decided to **delegate** the task of compiling customer satisfaction survey results to the new recruit.

部長は、顧客満足度調査の結果をまとめる仕事をその新入社員に任せることにした。

□□□ 285

round-trip

/ ráʊndtrìp /

形 **going somewhere and back again**

往復の

⇔ one-way

例 The lucky winner of the draw will get a **round-trip** ticket to Peru.

抽選の幸運な当選者には、ペルーへの往復チケットが贈られます。

□□□ 286

freight

/ fréɪt /

名 **products or goods carried on ships, trains, etc.**

貨物、積み荷

≒ cargo

ⓘ 発音に注意。

例 All prints purchased through our Web site are sent via air **freight**.

当社のウェブサイトから購入したすべての印刷物は、航空貨物で送られます。

□□□ 287

precede

/ prɪsíːd /

名 precedence（重要性の）優先、上位
形 precedent 前例、慣例

動 **to happen or exist before something or someone**

（時間的に）～に先立つ

⇔ follow, succeed

〈pre-（前に）+cede（行く）〉

例 The company dinner will be **preceded** by a speech from the CEO.

会社の夕食会の前に、CEOのスピーチが行われる。

□□□ 288

wholesale

/ hóʊlsèɪl /

形 **relating to the business of selling products in large amounts to businesses instead of directly to individuals**

卸売りの

ⓘ「卸売りで」という副詞、「卸売り」という名詞の意味もある。「小売りの」はretail。

〈whole（全体）+sale（売る）〉

例 Welsh Holdings works in the **wholesale** of electronics.

Welsh Holdingsは、電子機器の卸売業に従事している。

□□□ 289

mileage

/ máɪlɪʤ /

名 ① **the distance traveled in miles by a vehicle**

総走行距離

例 Rick's Auto only sells used vehicles with low **mileage**.

Rick's Autoは、走行距離の少ない中古車のみを販売している。

② **the average distance a vehicle can travel using a particular amount of fuel**

燃費

例 Our newest SUV has the best **mileage** for a vehicle of its size on the market.

わが社の最新SUVは、市場に出回っている同サイズの車としては最高の燃費を誇ります。

□□□ 290

withstand

/ wɪðstǽnd /

動 **to not be harmed or affected by something due to strength, durability, etc.**

～に耐える、持ちこたえる

≒ stand, tolerate, resist

ⓘ withstand-withstood-withstoodと活用する。

〈with-（逆らって）+stand（立つ）〉

例 These pots are made to **withstand** the heavy use of an industrial kitchen.

これらの鍋は、業務用キッチンでの頻繁な使用に耐えるように作られている。

□□□ 291

intact

/ ɪntǽkt /

形 **being complete and not missing any parts**

損なわれていない、無傷の

≒ whole, undamaged

⇔ damaged

ⓘ 文字どおりにも比喩的にも使う。

〈in-（否定）+tact（触る）〉

例 The main structure of the house remained **intact** even after experiencing a record-breaking earthquake.

記録的な地震に見舞われたあとも、その家の主要な構造は無傷のままだった。

□□□ 292

binding

/ báɪndɪŋ /

動 bind ～を縛る、強制する

形 requiring someone to do something because of an agreement or law

拘束力のある

ⓘ「(本の) 装丁、製本」という名詞の意味もある。

例 As this contract is legally **binding**, we must consult with our lawyers before signing anything.

この契約は法的拘束力があるため、署名する前に弁護士に相談する必要がある。

□□□ 293

pedestrian

/ pədéstriən /

名 a person who is walking along a road or on a sidewalk

歩行者

ⓘ ped-は「足」を意味する語根で、pedal (ペダル)、expedition (遠足) などにも含まれる。

例 You must be very careful of **pedestrians** when you are driving through intersections.

車で交差点を通過するときは、歩行者に十分注意する必要がある。

□□□ 294

discard

/ dɪskɑ́ːrd /

形 discarded 捨てられた

動 to get rid of something that is no longer wanted or needed

〈不用品など〉を破棄する、処分する

≒ throw away, dispose of

例 Please properly **discard** used ink cartridges to avoid further polluting the local environment.

使用済みのインクカートリッジは、地域の環境をさらに汚染しないよう適切に廃棄してください。

□□□ 295

conform

/ kənfɔ́ːrm /

名 conformity 一致、適合

動 to obey a rule or a law

従う、準ずる

≒ comply ⇔ oppose

〈con- (共に) +form (形)〉

ⓘ conform to [with] の形でよく使われる。

例 We can assure you that all of our equipment **conforms** to the city's safety guidelines.

当社のすべての機器が市の安全指針に準拠していることを保証します。

296

correspondence / kɔ̀ːrəspáːndəns | kɔ̀rɪspɔ́nd- /

動 correspond 連絡する、文通する
名 correspondent 特派員

名 (the activity of sending) e-mails, letters, or other written messages

書簡(による連絡)

≒ communication

〈cor-(共に) +respond(応じる) +-ence(名詞)〉

例 All written **correspondence** should be sent to the company address listed at the bottom of this page.

書面による連絡はすべて、ページ下部に記載されている会社の住所に送付してください。

297

bookkeeping / búkkìːpɪŋ /

名 the job of keeping records of the financial situation of an organization

簿記

例 The **bookkeeping** of a company this large cannot be done by solely one person.

これほど大きな会社の簿記は、一人だけで行うことはできない。

298

pessimistic / pèsəmístɪk /

名 pessimism 悲観主義
名 pessimist 厭世家
副 pessimistically 悲観的に

形 always expecting that something bad will happen

悲観的な

≒ negative

⇔ optimistic, positive

例 Most financial analysts are **pessimistic** about the chance of economic recovery for local businesses.

大部分の金融アナリストは、地元企業の景気回復の可能性について悲観的だ。

299

alteration / ɔ̀ːltəréɪʃən /

動 alter ～を変える

名 the act of changing something

(部分的な)変更、調整

〈alter(他の) +-ation(～にすること)〉

例 Our shop specializes in the **alteration** of clothing.

当店は衣類の寸法直しの専門店です。

□□□ 300

surpass

/ səːrpǽs | -páːs /

㊎ to be better or greater than someone or something

～を超える、～に勝る

≒ exceed, outdo

⇔ fall behind

ⓘ アクセントの位置に注意。

例 Bravo Music's annual sales **surpassed** $1 billion for the first time last year.

Bravo Musicの年間売上高は、昨年初めて10億ドルを超えた。

形 surpassing 卓越した、比類のない

副 surpassingly 並外れて

〈sur-（越えて）＋pass（通る）〉

□□□ 301

predecessor

/ prédəsèsər | príːd- /

名 a person who was in a position before someone else

前任者

⇔ successor

例 The new mayor is not as well liked as his **predecessor**.

新市長は前任者ほど好かれていない。

□□□ 302

delete

/ dɪlíːt /

動 to remove something from something else

～を削除する

≒ erase

例 We request that you **delete** all personal files before returning your computer to the IT department.

コンピュータをIT部門に返却する前に、すべての個人ファイルを削除するようお願いします。

名 deletion 削除

□□□ 303

medication

/ mèdəkéɪʃən /

名 a medicine or drug taken to treat illness or pain

薬物、薬剤

例 **Medications** not prescribed by your family physician will not be permitted through customs.

かかりつけの医師によって処方されていない薬は、税関を通過できません。

□□□ 304

textile

/ tékstàɪl /

名 **a woven or knit fabric**

織物、布地

≒ cloth

ⓘ textは「織られたもの」が原義で、texture（手触り）も同語源語。

例 Our clothing is made with **textiles** that have the least environmental impact possible.

当社の服は、環境への影響が可能な限り最小限の布地で作られています。

□□□ 305

brochure

/ broʊʃʊ́ər | bróʊʃə /

名 **a thin book that gives information about or advertises something, often with pictures**

パンフレット、小冊子

≒ booklet, pamphlet, leaflet

例 She picked up a Hawaii travel **brochure** on her way home from work.

彼女は仕事から帰る途中でハワイ旅行のパンフレットを手に取った。

□□□ 306

outing

/ áʊtɪŋ /

名 **a short trip taken by a group of people for fun**

外出、小旅行

≒ excursion

例 My company pays for our department to take regular **outings** to the beach for teamwork exercises.

会社は、私たちの部がチームワーク訓練を目的とした定例のビーチへの小旅行を行うお金を出している。

□□□ 307

interpersonal

/ ɪ̀ntərpə́ːrsənl /

形 **relating to relationships between people**

人間関係の、対人の

ⓘ 名詞の前で使う。

例 To be successful in the hotel business, you must have excellent **interpersonal** skills.

ホテルビジネスで成功するには、優れた対人スキルが必要だ。

□□□ 308

bouquet

/ boʊkéɪ | bu- /

名 **a group of flowers that are picked and presented together**

花束

ⓘ 発音、アクセントの位置に注意。

例 The guest presenter at the seminar was given a **bouquet** after her presentation.

セミナーのゲストプレゼンターには、プレゼンテーション後に花束が贈られた。

□□□ 309

unwavering

/ ʌnwéɪvərɪŋ /

形 **continuing without changing or becoming weaker**

断固とした、ゆるぎない

≒ staunch

例 Our commitment to the local community has remained **unwavering**.

わが社の地域社会への取り組みは揺るぎないものです。

□□□ 310

array

/ əréɪ /

名 **a great amount of something**

多数、列挙

≒ bunch, host, lot

例 An **array** of goods can be purchased at the Big Bear Department Store.

Big Bearデパートでは、さまざまな商品を購入することができる。

□□□ 311

arise

/ əráɪz /

動 **to start to happen or exist**

起こる、生じる

≒ appear, emerge

⇔ disappear, vanish

ⓘ arise-arose-arisenと活用する。

〈a-（上に）+rise（立つ）〉

例 If any problems **arise**, please call our toll-free number.

何か問題が起きた場合は、当社のフリーダイヤルにご連絡ください。

□□□ 312

directory

/ dəréktəri | daɪ- /

名 ① a book or electronic resource that has an alphabetical list of information

名簿

例 Please refer to the staff **directory** when scheduling shifts.

シフトを組むときは、社員名簿を参照してください。

② a sign in an organization or large store that shows the names of departments and where to find them

（建物の）案内板

例 The new company's name was added to the building **directory** by the elevator last week.

先週、その新しい会社の名前がエレベーターそばの建物の案内板に追加された。

□□□ 313

ongoing

/ ɑ́:ngòʊɪŋ /

形 continuing to exist or happen without reaching an end

進行中の、継続している

≒ continuous

⇔ finished

例 **Ongoing** work on the bridge continues to cause the bus to be delayed.

橋の工事が続いているため、バスに遅れが生じ続けている。

□□□ 314

affirm

/ əfə́:rm /

名 affirmation 断言、確認

動 to say with confidence that something is true

～を断言する､肯定する

≒ confirm

⇔ deny

〈af-（～に）+firm（堅固な）〉

例 The director has **affirmed** that all animals involved in the production were well taken care of.

その役員は、製品に関わるすべての動物が適切に飼育されていると断言した。

□□□ 315

supervisor

/ sú:pərvàɪzər /

動 supervise ～を監督する
名 supervision 監督、管理

名 a person whose job is to watch over another person's job

上司

例 All requests for paid leave must first be sent to your **supervisor**.

有給休暇の申請はすべて、まず上司に送る必要があります。

□□□ 316

apprentice

/ əpréntɪs /

名 a person who learns how to do a job by working for someone who is very skilled at it

見習い

例 He worked as an **apprentice** sculptor for many years before opening his own studio.

彼は自分の工房を開く前、長年見習い彫刻家として働いていた。

□□□ 317

vet

/ vét /

動 to check something carefully to make sure there are no problems

～を(入念に)審査する

≒ screen

ⓘ「獣医」という意味もある(veterinarianの略語)。

例 Her background was carefully **vetted** before the bank approved her credit card application.

銀行が彼女のクレジットカード申請を承認する前に、彼女の経歴は注意深く精査された。

□□□ 318

unrivaled

/ ʌnráɪvld /

形 better than anything or anybody else available

並ぶもののない、類いまれな

≒ unsurpassed

ⓘ rivalは「～に匹敵する」という意味。

例 Shindo is **unrivaled** in the industry when it comes to the quality of their perfumes.

香水の品質に関し、Shindoは業界で他の追随を許さない。

□□□ 319

inherent

/ ɪnhíərənt | -hér- /

副 inherently 本質的に、本来

形 being a basic or essential feature of something or someone that cannot be removed

本来備わっている

≒ fundamental, intrinsic

〈in-（中に）+her（つっつく）+ent（形容詞）〉

例 He argues that there is an **inherent** flaw in judging applicants based on their education.

教育に基づいて志願者を判断することには本質的な欠陥があると、彼は主張している。

□□□ 320

integrate

/ íntəgrèɪt /

形 integrated 統合した、完全な
名 integration 統合

動 to form something by combining multiple things

～を統合する、まとめる

≒ join, unify, assimilate

⇔ divide, exclude, disconnect, separate

例 This technology can be **integrated** with your existing framework to create a more secure network.

このテクノロジーを御社の既存のフレームワークと統合し、より安全なネットワークを構築することができます。

章末ボキャブラリーチェック

次の語義が表す英単語を答えてください。

語義	解答	連番
❶ to check something carefully to make sure there are no problems	vet	317
❷ always expecting that something bad will happen	pessimistic	298
❸ the act of changing something	alteration	299
❹ to officially suggest someone or something for an important position, prize, etc.	nominate	257
❺ a group of flowers that are picked and presented together	bouquet	308
❻ a formal dinner attended by many people, usually for celebrations or important occasions	banquet	255
❼ a person whose job is to receive your money and return any change in a store	cashier	274
❽ an unproven idea that leads to more study or discussion	hypothesis	275
❾ a person who learns how to do a job by working for someone who is very skilled at it	apprentice	316
❿ a prediction based on the current situation	projection	247
⓫ the rate at which people leave an organization and are replaced	turnover	277
⓬ better than anything or anybody else available	unrivaled	318
⓭ the money that is paid to use a bridge or road	toll	278
⓮ a company owned or controlled by a larger company	subsidiary	271
⓯ going somewhere and back again	round-trip	285
⓰ the distance traveled in miles by a vehicle	mileage	289
⓱ to give something of value to someone in return for something of equal value	compensate	264
⓲ the act of two or more things crashing into one another	collision	260
⓳ the height of something above sea level	altitude	280

語義	解答	連番
⑳ to make something complete or better	complement	254
㉑ someone who has been chosen to speak, vote, or make decisions for others	delegate	284
㉒ secret or private	confidential	267
㉓ to change a part of something, such as a document or law	amend	244
㉔ to be better or greater than someone or something	surpass	300
㉕ a medicine or drug taken to treat illness or pain	medication	303
㉖ to move around at a party or event and talk casually with many different people	mingle	282
㉗ involving a lot of energy or effort	intensive	252
㉘ too full or crowded with something	congested	272
㉙ to make someone do something or make something happen	induce	259
㉚ to form something by combining multiple things	integrate	320
㉛ a place where two or more things, especially streets, meet or cross each other	intersection	262
㉜ a person who was in a position before someone else	predecessor	301
㉝ to start to happen or exist	arise	311
㉞ drinks and sometimes small amounts of food	refreshments	270
㉟ to not be harmed or affected by something due to strength, durability, etc.	withstand	290
㊱ a person who is walking along a road or on a sidewalk	pedestrian	293
㊲ making sure people have everything they need	attentive	265
㊳ a separate area in a plane, ship, or train, such as a place to store baggage	compartment	281
㊴ relating to the business of selling products in large amounts to businesses instead of directly to individuals	wholesale	288
㊵ a book or electronic resource that has an alphabetical list of information	directory	312

語義	解答	連番
㊶ a thin book that gives information about or advertises something, often with pictures	brochure	305
㊷ to make something clear or easy to understand	clarify	241
㊸ the paper on which a vote is marked in an election	ballot	279
㊹ a short trip taken by a group of people for fun	outing	306
㊺ being complete and not missing any parts	intact	291
㊻ done with a lot of energy or force	vigorous	251
㊼ to provide food and drinks at a gathering for money	cater	243
㊽ to get rid of something that is no longer wanted or needed	discard	294
㊾ used to replace something or different than usual	alternate	248
㊿ to write to someone and have them reply to you	correspond	250
51 to remove something from something else	delete	302
52 the act of getting rid of something	disposal	258
53 impressive or easy to notice	notable	242
54 to make someone or something clearly different from another	differentiate	276
55 relating to relationships between people	interpersonal	307
56 products or goods carried on ships, trains, etc.	freight	286
57 relating or belonging to the government of a town or city	municipal	256
58 the total amount of money that is spent on a particular thing by an organization	expenditure	266
59 to obey a rule or a law	conform	295
60 a document that shows someone has completed a course of study or graduated from a school	diploma	249
61 to say with confidence that something is true	affirm	314
62 a place where fruit trees are grown together	orchard	245
63 a person whose job is to watch over another person's job	supervisor	315

語義	解答	連番
64 continuing to exist or happen without reaching an end	ongoing	313
65 objects that are bought and sold	merchandise	269
66 to support something by placing it against another object	prop	273
67 knowing a lot about a certain topic	knowledgeable	261
68 the job of keeping records of the financial situation of an organization	bookkeeping	297
69 spoken and not written	verbal	283
70 interesting and pleasant in a way that holds your attention	engaging	268
71 to happen or exist before something or someone	precede	287
72 a small part of a room that is separated from the rest of the room using moveable low walls	cubicle	246
73 legally responsible for something	liable	263
74 to make something easier to do or understand	simplify	253
75 continuing without changing or becoming weaker	unwavering	309
76 requiring someone to do something because of an agreement or law	binding	292
77 being a basic or essential feature of something or someone that cannot be removed	inherent	319
78 a woven or knit fabric	textile	304
79 a great amount of something	array	310
80 (the activity of sending) e-mails, letters, or other written messages	correspondence	296

スコア990への道 04

言い換えのパターン：単語と複数の語1

続いて、一つの単語を複数の語（＝句）で言い換えるパターンを見てみましょう。例えば、enjoy（～を楽しむ）をhave fun（楽しむ）という表現で言い換えることがあります。類義語による言い換えより、類推力が試されます。

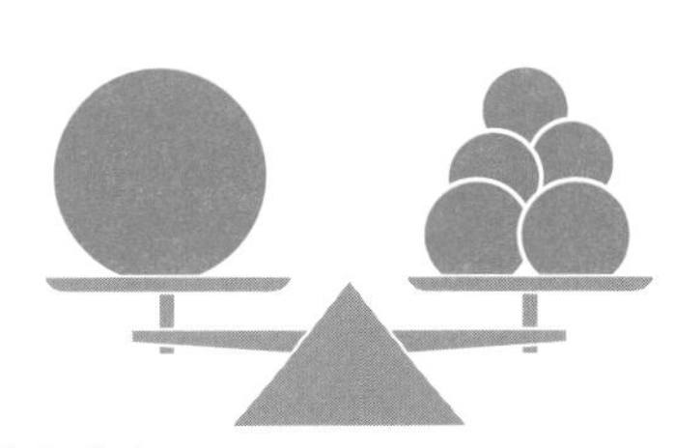

名詞

☐ **draft ⇔ rough version**（下書き、ドラフト）
☐ **trail ⇔ walking path**（小道）
☐ **mortgage ⇔ home loan**（住宅ローン）

動詞

☐ **relax ⇔ chill out**（くつろぐ）
☐ **discount ⇔ reduce a price**（値引きする）
☐ **distribute ⇔ pass out**（～を配布する）
☐ **accumulate ⇔ pile up**（～を蓄積する）
☐ **recommend ⇔ speak highly of**（～を高く評価する）
☐ **reach ⇔ stretch out *one's* hand**（手を伸ばす）

形容詞／副詞／前置詞

☐ **convenient ⇔ easily accessible**（便利な）
☐ **beforehand ⇔ in advance**（事前に）
☐ **monthly ⇔ per month**（月ごとに）
☐ **electronically ⇔ via e-mail**（メールで）
☐ **by ⇔ no later than**（～までに）

Stage 5

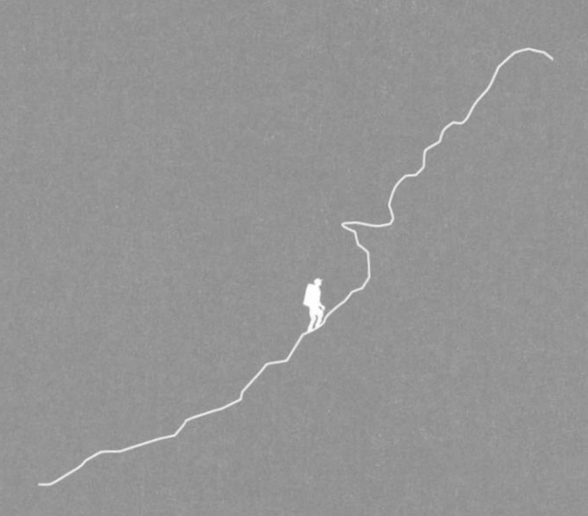

Never put off till tomorrow what you can do today.
今日できることを明日まで延ばすな。

□□□ 321

vulnerable

/ vʌ́lnərəbl /

形 **easily hurt, either physically or mentally**

傷つきやすい、もろい

名 vulnerability 脆弱性、傷つきやすさ

≒ susceptible

⇔ resistant, tough

例 The small island nations in the Pacific are particularly **vulnerable** to climate change.

太平洋のその小さな島国は、気候変動の影響をとりわけ受けやすい。

□□□ 322

respondent

/ rɪspɑ́ːndənt /

名 **a person who answers questions for a survey**

回答者

動 respond （～と）答える

〈re- (～に対して) +spond (約束する) +-ent (人)〉

例 A majority of **respondents** to the customer satisfaction survey answered positively to store policy changes.

顧客満足度調査の回答者の大多数は、店の方針の変更について肯定的に回答した。

□□□ 323

integrity

/ ɪntégrəti /

名 ① **the quality of being honest and adhering to personal moral principles**

誠実、高潔

形 integral 不可欠な、必須な

≒ honesty

⇔ dishonesty, corruption

例 The governor is highly respected for his **integrity** and commitment to solving social issues.

その知事は、誠実さと社会問題を解決するための献身で高く評価されている。

② **the quality of being complete and stable**

完全性

例 The **integrity** of the software has been compromised by the virus.

そのソフトウェアの完全性はウイルスによって棄損されている。

□□□ 324

celebrity

/ səlébrəti /

形 celebrated 名高い、有名な

名 **a famous person**

有名人

≒ star

⇔ nobody

ⓘ カタカナ語の「セレブ」はcelebrityの略語。

例 That company uses the face of a **celebrity** to sell their makeup.

その会社は有名人の顔を使って化粧品を売っている。

□□□ 325

serial

/ síəriəl /

名 series 連続、シリーズ

形 **arranged in order**

〈番号などが〉連続する、通しの

〈ser (結ぶ) +-ial (形容詞)〉

例 In order to file a claim for this defect, you must be able to provide the product's **serial** number.

この欠陥の申し立てを行うには、製品のシリアル番号をご提出いただく必要があります。

□□□ 326

suite

/ swí:t /

名 ① **a set of rooms in a hotel that is used by one person, a couple, a family, etc.**

スイートルーム

ⓘ sweet（甘い）と同音。suite roomとは言わない。

例 They stayed in the hotel's master **suite** for their honeymoon.

彼らは新婚旅行でホテルのマスタースイートに泊まった。

② **a set of computer programs that are related to each other**

パッケージソフト

例 The Optimisée Deluxe software **suite** comes with five different programs.

Optimisée Deluxeソフトウェアスイートには、5つの異なるプログラムが付属している。

□□□ 327

activate

/ ǽktəvèɪt | -tɪ- /

名 activation 活性化

動 to make something start to work

～を作動させる；〈銀行のカードなど〉を有効にする

⇔ deactivate

ⓘ「～を活性化する」という意味もある。reactivate（～を再活性化する）という語も覚えておこう。

〈act（行う）+-iv（形容詞）+-ate（～にする）〉

例 To **activate** your credit card, please visit the following Web site.

クレジットカードを有効にするには、次のウェブサイトにアクセスしてください。

□□□ 328

sip

/ síp /

動 to drink something slowly and by taking small mouthfuls

～を少しずつ飲む、すする

ⓘ Part 1でsippingがshipとの音の引っかけで登場する。

例 She **sipped** her coffee quietly while reading the paper.

彼女は新聞を読みながら静かにコーヒーをすすった。

□□□ 329

escort

/ ɪskɔ́ːrt /

動 to take someone somewhere while protecting or guarding them

～に付き添う、～を案内する

例 A local representative will arrive at your hotel in the morning to **escort** you to the construction site.

現地の担当者が午前中にホテルに到着し、建設現場までご案内します。

□□□ 330

specialty

/ spéʃəlti /

形 special 特別な、専門の
動 specialize 専門にする

名 something that a person or place is known for making very well

特製品、名産品、専門品

ⓘ イギリス英語ではspecialityとも言う。

例 Fish and chips is a **specialty** sold by many restaurants in that village.

フィッシュアンドチップスは、その村の多くのレストランで販売されている名物料理だ。

□□□ 331

concession

/ kənséʃən /

名 ① **a small business or shop that sells goods in a place it does not own**

売店

ⓘ「譲歩」という意味もある。

例 She bought some fries at the **concession** stand during the intermission of the show.

彼女はショーの休憩中に売店でフライドポテトを買った。

② **the goods sold at a concession stand**

売店で売られるもの

例 Spectators spend an average of $10 in **concessions** when attending football games.

アメフトの観戦では、観客は売店での買い物に平均10ドルを費している。

□□□ 332

exquisite

/ ɪkskwízət /

副 exquisitely 優美に、繊細に

形 **extremely well done, beautiful, or delicate**

素晴らしい、極上の

≒ splendid, superb

〈ex-（外に）+quis（求める）+-ite（形容詞）〉

例 **Exquisite** works of art can be found at the local gallery.

地元のギャラリーで素晴らしい芸術作品を見つけることができます。

□□□ 333

notify

/ nóʊtəfàɪ /

名 notification 通知；届け出

動 **to officially tell someone about something**

～に通知する

≒ inform

〈not（印をつける）+-ify（～にする）〉

例 Employees were **notified** of the upcoming meeting via e-mail.

従業員は、来たる会議についてメールで通知を受けた。

□□□ 334

subtract

/ səbtrǽkt /

名 subtraction 引き算

動 to take away an amount from another amount

～を引く、減じる

≒ remove, deduct, take off

⇔ add, increase

〈sub-（下に）+tract（引く）〉

例 **Subtract** all your necessary monthly living expenses from your salary to determine how much you can save per month.

1か月にどれだけ貯金できるかを判断するために、給与から月々必要なすべての生活費を差し引いてください。

□□□ 335

intimate

/ íntəmət /

副 intimately 親密に；詳細に
名 intimacy 親しいこと

形 ① very personal or private

個人的な、一身上の

ⓘ「親密な」という意味もある。

例 The magazine article contains **intimate** details about the actor's private life.

雑誌の記事には、その俳優の私生活についての個人的な詳細が含まれている。

---

② private and friendly in a way that encourages comfort

〈場所などが〉くつろげる

≒ cozy

例 Our restaurant strives to create an **intimate** atmosphere for all of our patrons.

当レストランは、すべてのお得意さまがくつろげる雰囲気を作り出すよう努めています。

---

③ very detailed and complete

〈知識などが〉細部まで詳しい

例 Dr. Kim has an **intimate** knowledge of Celtic history.

Kim博士はケルトの歴史について深い知識を持っている。

□□□ 336

cherish

/ ʧérɪʃ /

形 cherished 大切な、大事にしている

動 **to care deeply about something or someone**

～を（愛情をこめて）大切にする

≒ appreciate, treasure

例 This movie is **cherished** by individuals of all ages.

この映画はあらゆる年齢層の人々に愛されている。

□□□ 337

segment

/ ségmənt | segmént /

名 segmentation 分割

名 **one of the parts into which something can be divided**

部分、区分

≒ section, portion

〈seg（切る）+ment（名詞）〉

例 We plan to take over that **segment** of the jewelry market this year.

わが社は今年、宝飾品市場のその部門において優位を築く予定だ。

□□□ 338

fragile

/ frǽʤəl | -aɪl /

名 fragility もろさ

形 **easily broken or damaged**

もろい、壊れやすい

≒ breakable, delicate, frail

例 Glass items being shipped through our service will be marked as **fragile** and protected with extra care.

当社のサービスを通じて出荷されるガラス製品には、割れ物マークがつけられ、特別な注意を払って保護されます。

□□□ 339

distraction

/ dɪstrǽkʃən /

動 distract ～の気を散らす

名 **something that makes it hard to pay attention to what you are doing**

気を散らすもの、注意をそらすもの

ⓘ「気の散った状態、注意散漫」という意味もある。

例 The construction noise outside was a real **distraction** to the people attending the Climate Conference.

外の建設工事の騒音によって、気候会議に出席する人々はとても気が散った。

□□□ 340

dispatch

/ dɪspǽtʃ /

動 **to (quickly) send someone or something somewhere for a particular purpose**

～を派遣する、送る

ⓘ「送付、配送」という名詞の意味もある。イギリス英語ではdespatchともつづる。

例 Rescue workers were immediately **dispatched** to the area with the most severe flooding.

洪水の最も深刻な地域に、直ちに救助隊員が派遣された。

□□□ 341

orientation

/ ɔ̀ːriəntéɪʃən /

名 **a period of time used to train and prepare people for a new job or course of study**

オリエンテーション、事前指導

例 The **orientation** for new employees will be held tomorrow at 9:00 A.M.

新入社員向けオリエンテーションは明日午前9時に行われる。

□□□ 342

underestimate

/ ʌ̀ndəréstəmèɪt /

名 underestimation 過小評価

動 ① **to think of someone or something as being lower in ability, value, etc. than they actually are**

～を過小評価する

⇔ overestimate

〈under-（下に）+estim（評価する）+-ate（動詞）〉

例 The importance of building contacts as a recruiter cannot be **underestimated**.

採用担当者としての人脈形成の重要性を過小評価することはできない。

② **to think or guess that an amount or size of something is smaller than it really is**

～を少なく見積もる

例 The company greatly **underestimated** the cost of building the mobile application.

その会社は、モバイルアプリケーションの構築コストを大幅に低く見積もっていた。

343

pier

/ píər /

名 **a structure built out into the water where boats can stop or people can walk**

桟橋、埠頭(ふとう)

例 The local **pier** is a popular spot for fishing.

地元の桟橋は釣りに人気のスポットだ。

344

allocate

/ ǽləkèɪt /

名 allocation 割り当て、分配

動 **to divide and give out**

～を割り当てる、配分する

≒ allot

〈al- (～に) +loc (場所) +-ate (動詞)〉

例 The provincial government has **allocated** a total of $1 million for the construction and repair of roads.

州政府は、道路の建設と修理に合計100万ドルを割り当てた。

345

distinguished

/ dɪstíŋgwɪʃt /

動 distinguish ～を見分ける、目立たせる

形 **very successful and admired**

際立った、卓越した

≒ eminent, outstanding, superior

⇔ undistinguished

〈di- (離れて) +stingu (印をつける) +-ish (動詞)〉

例 She began her **distinguished** career as an actress in the late 1960s.

彼女は1960年代後半に女優としての卓越したキャリアを始めた。

346

constraint

/ kənstréɪnt /

動 constrain ～を束縛する

名 **something that limits what someone or something can do**

制限、制約

≒ limitation, restraint

〈con- (強意) +straint (引き締める)〉

例 Due to time **constraints**, we will only be able to visit half of the exhibits this afternoon.

時間の制約があるため、今日の午後は展示会の半分しか見学できません。

□□□ 347

inventory

/ ínvəntɔ̀:ri | -təri /

名 ① **all of the goods that are stored in a place**

在庫

≒ stock

例 Drew's Bookshop carefully manages their **inventory** to ensure popular books are never out of stock.

Drew's書店は、人気の本が在庫切れにならないよう注意深く在庫を管理している。

② **a list of all the things that are in a place**

在庫表

例 The **inventory** shows that there are unfortunately no more cat toys in stock at the moment.

在庫表によれば、残念ながらねこ用のおもちゃは現在もう在庫がない。

③ **the act or process of making a list of all the goods a company or person has at that moment**

棚卸し

例 Mr. Allan requested that we take **inventory** of all stock after the flood.

Allanさんは洪水後、私たちにすべての在庫の棚卸しをするよう求めた。

□□□ 348

souvenir

/ sù:vəníər /

名 **something that you keep to remind you of a place visited or an event attended**

（旅などの）記念品

≒ memento

ⓘ アクセントはnirの位置。ほかの人のために買う「お土産」はpresent、giftなどと言う。

例 The Seaport Market is an excellent place for any traveler to buy **souvenirs**.

Seaport Marketは、どんな旅行者が記念品を買うのにも最適の場所だ。

□□□ 349

reminder

/ rɪmáɪndər /

動 remind 〜に気づかせる、思い出させる

名 **something that makes you remember something**

思い出させるもの、注意

ⓘ remainder（残り）と混同しないよう注意。

〈re-（再び）+mind（心）+-er（人）〉

例 We request that you send us a **reminder** if you have not heard back from us within three business days.

3営業日以内にこちらから折り返し連絡がない場合は、リマインダーをお送りください。

□□□ 350

field

/ fíːld /

動 **to get and deal with questions or comments from others**

〈質問・電話など〉にうまく対応する

ⓘ「野原；競技場；分野」以外にこの意味も押さえておこう。

例 After their cereal was recalled, customer service was required to **field** a variety of inquiries.

同社のシリアルが回収されたあと、カスタマーサービスはさまざまな問い合わせに対応しなければならなかった。

□□□ 351

authentic

/ ɔːθéntɪk /

副 authentically 正真正銘
名 authenticity 本物であること

形 **real or true**

本物の、真正な

≒ genuine ⇔ false, fake

例 My family's restaurant offers **authentic** Filipino cuisine for great prices.

私の家族がやっているレストランでは、本格的なフィリピン料理をお得な価格で提供している。

□□□ 352

tariff

/ tǽrɪf /

名 **a tax on goods entering or leaving a country**

関税

≒ customs, duty

例 The government raising the import **tariffs** on steel greatly affected the industry.

政府は鉄鋼の輸入関税を引き上げ、業界に大打撃を与えた。

□□□ 353

irrelevant

/ ɪréləvənt /

副 irrelevantly 無関係に

形 not related to something, and therefore unimportant

関連のない

⇔ relevant

ⓘ be irrelevant to（〜とは関係ない）の形も押さえておこう。

例 For the most wealthy of guests, the price of the hotel is **irrelevant**.

顧客の中でも最も裕福な人たちにとっては、ホテルの料金は関係ない。

□□□ 354

inappropriate

/ ìnəpróupriət /

副 inappropriately 不適切に

形 not good or suited for a specific purpose or situation

不適切な、ふさわしくない

≒ unsuitable ⇔ appropriate

例 This novel is **inappropriate** for elementary school children.

この小説は小学生には不向きだ。

□□□ 355

reunion

/ rì:jú:njən | -niən /

名 an event where people get together again after being apart for a while

同窓会、再会の集い

例 The North Kings class **reunion** will be held at The Hotel Grand.

North Kingsの同窓会はホテルGrandで開催される。

□□□ 356

bankrupt

/ bǽŋkrʌpt /

名 bankruptcy 破産、倒産

形 unable to pay back borrowed money

破産した、倒産した

≒ insolvent

ⓘ go bankrupt（破産する）の形を覚えておこう。

例 Several apparel exporters went **bankrupt** during the last financial crisis.

前回の金融危機の際、いくつかのアパレルの輸出業者が倒産した。

357

advocate

/ 名 ǽdvəkət 動 ǽdvəkèɪt /

名 **someone who supports or represents something or someone**

支持者、主張者

≒ supporter, proponent

⇔ opponent, enemy

〈ad-（～に）+voc（声）+-ate（～にする）〉

例 Ms. Burns is an **advocate** for the reform of business licensing laws.

Burnsさんは事業許可法の改革を提唱している。

動 **to publicly support a cause, policy, etc.**

（～を）主張する、提唱する

例 The party **advocates** for policies that protect our environment and citizens.

その党は、私たちの環境と市民を保護する政策を提唱している。

358

breakthrough

/ bréɪkθrù /

名 **an important discovery, especially one made after working for a long time**

飛躍的な進歩、大発見

⇔ setback

例 Technological **breakthroughs** have allowed scientists to develop new methods for treating viral illnesses.

科学技術上の飛躍的な進歩により、科学者たちはウイルス性疾患を治療する新しい方法を開発することができた。

359

discretion

/ dɪskréʃən /

形 discretionary 任意の、自由裁量の

名 **the right or ability to decide what should be done**

裁量

〈dis-（離れて）+cret（分ける）+-ion（名詞）〉

例 Since I'm free all next week, I'll leave the specific time and location of the meeting to your **discretion**.

私は来週まったく予定がないので、会議の具体的な時間と場所はあなたの裁量に任せます。

□□□ 360

lure

/ lúər | ljúə /

動 **to attract someone or persuade them to do something**

～を誘い出す、誘い込む

≒ draw, tempt

ⓘ 目的語は人にも動物にもなる。

例 We were able to **lure** new clients to our firm using social media.

わが社はソーシャルメディアを使って新しい顧客を獲得することができた。

□□□ 361

surveillance

/ sərvéɪləns /

名 **the act of watching someone or something carefully to prevent or detect a crime**

監視

≒ observation

例 All of our apartments offer 24 hour **surveillance**.

当社のすべてのアパートメントは24時間の監視を提供している。

□□□ 362

gauge

/ géɪʤ /

名 **an instrument that measures the size or amount of something**

計測計器

≒ meter

ⓘ 発音に注意。

例 The gas **gauge** is showing that the truck is low on fuel.

ガソリン計は、トラックの燃料が少ないことを示している。

動 **to make a judgment about something**

～を判断する、評価する

≒ measure, assess

例 The survey provided a useful way of **gauging** interest among potential buyers.

その調査は、潜在的な購入者の関心を評価する有益な方法を提供した。

□□□ 363

pharmacy

/ fɑ́ːrməsi /

名 a store or part of a store that sells and prepares medicines

（調剤）薬局

名 pharmacist 薬剤師
形 pharmaceutical 製薬の；薬剤（師）の

例 The **pharmacy** sells that drug, but only for people who have a prescription from a doctor.

その薬は薬局で販売しているが、医師の処方箋を持っている人しか買うことはできない。

□□□ 364

verify

/ vérəfàɪ /

動 to prove that something is true

～が正しいと確認する、～を確かめる

名 verification 確認、証明
形 verifiable 確認［証明］できる

≒ confirm
⇔ disprove

〈ver（真実の）+-ify（～にする）〉

例 Please **verify** that all of your personal information is correct before sending in your passport application.

パスポートの申請書を送付する前に、個人情報がすべて正確であることを確認してください。

□□□ 365

legendary

/ lédʒəndèri | -əri /

形 very famous and talked about by many people

伝説的な

名 legend 伝説

例 She is regarded as a **legendary** jazz singer among young musicians.

彼女は若いミュージシャンの間で伝説的なジャズ歌手と見なされている。

□□□ 366

memorable

/ mémərəbl /

形 very good and worth remembering

記憶に残る、忘れられない

≒ unforgettable
⇔ forgettable

〈memor（覚えている）+-able（できる）〉

ⓘ memorabilia（記憶すべき記念品、個人の思い出となる品物や出来事）という語も覚えておこう。

例 Savannah Excursions specializes in creating **memorable** experiences that exceed our customer's expectations.

Savannah Excursionsは、お客さまの期待を超える、記憶に残る体験を創造することを専門としています。

□□□ 367

portfolio

/ pɔːrtfóʊliòʊ /

名 ① **a set of artistic pieces of work that an artist, photographer, etc. has done**

（代表作・サンプルなどの）作品集

例 A **portfolio** will be required when you submit your application to our program.

わが社のプログラムに申請書を提出する際は、作品集が必要になります。

② **a group of stocks owned by someone or a company**

有価証券一覧、ポートフォリオ

例 Our company offers **portfolio** management services that allow you to invest completely passively.

当社は、完全に受動的に投資できるポートフォリオ管理サービスを提供しています。

□□□ 368

unstable

/ ʌnstéɪbl /

形 **not stable and likely to change suddenly**

不安定な

≒ volatile, unsteady

⇔ steady

〈un-（否定）+st（立つ）+-able（できる）〉

例 The political situation in that country remains **unstable** due to the fluctuating market.

その国の政治情勢は、市場の変動により不安定なままだ。

□□□ 369

semester

/ səméstər /

名 **one of usually two periods of time that make up the school year at a school or university**

（2学期制の）学期

ⓘ「（3期制の）学期」はtermと言う。

例 The Anthropology Department will be offering a course on Polynesian culture next **semester**.

人類学部は、来学期にポリネシア文化に関するコースを開講する予定だ。

□□□ 370

memorandum

/ mèmərǽndəm /

名 **a brief note from one person to another working in the same organization**

（社内の）回覧状

ⓘ 複数形はmemorandumsまたはmemoranda。memoと短縮して使われることも多い。memorableと同様、memorは「覚えている」を意味する語根で、memoir（回顧録）、commemorate（～を記念する）などにも含まれる。

例 We ask that you look through this **memorandum** before the start of the meeting.

会議が始まる前に、この回覧に目を通しておいてください。

□□□ 371

fabulous

/ fǽbjələs /

形 **very good**

素晴らしい

≒ amazing, marvelous, stunning

例 Chef Meyers prepared a **fabulous** meal that delighted every guest.

Meyersシェフは素晴らしい食事を作り、あらゆる客を喜ばせた。

□□□ 372

stroll

/ stróul /

動 **to walk slowly in a relaxed way**

ぶらぶら歩く、散策する

ⓘ stroller（ストローラー（折りたたみ式ベビーカー））はカタカナ語にもなっている。

例 You can enjoy the night sky while **strolling** down the boardwalk.

遊歩道を散策しながら夜空をお楽しみいただけます。

□□□ 373

drastic

/ drǽstɪk /

副 drastically 徹底的に、思い切って

形 **extreme in a way that has serious or severe effects**

抜本的な、思い切った

例 We must take **drastic** measures if we hope to release this product on time.

この製品を期日通りに発売したいのであれば、抜本的な対策を講じる必要がある。

□□□ 374

audit

/ ɔ́:dət /

名 auditor 監査役

名 **an official examination of a person or company's financial records to make sure they are correct**

監査、会計検査

〈aud (聞く) +-it (〜された)〉

例 The results of that company's internal **audit** showed that it was actually losing money.

内部監査の結果は、その会社が実際に損失を出していることを示した。

□□□ 375

inconvenience

/ ìnkənví:njəns | -iəns /

形 inconvenient 不便な

名 **problems or trouble that annoy or affect you negatively**

不便、不自由

≒ annoyance, disturbance

⇔ convenience

例 We sincerely apologize for any **inconvenience** caused by the trouble in the dining room this evening.

今晩の食堂でのトラブルでご迷惑をおかけしましたことを、心よりお詫び申し上げます。

□□□ 376

compatible

/ kəmpǽtəbl /

副 compatibly 適合して、相性よく

名 compatibility 互換性

形 ① **going well with something else; able to exist together without any problems**

相性のよい、両立できる

≒ suitable, harmonious

⇔ incompatible

例 The decreased budget is not **compatible** with the company's goal of expansion.

削減された予算は、会社の拡大という目標と両立しない。

② **capable of being used together**

互換性のある

⇔ incompatible

例 This charging cord is designed to be **compatible** with several devices.

この充電コードは、いくつかのデバイスと互換性があるように設計されている。

□□□ 377

forthcoming

/ fɔ̀ːrθkʌ́mɪŋ /

形 **coming or happening soon** 来たるべき、今度の

≒ impending, upcoming, approaching

例 Experts are expecting his **forthcoming** soccer match to be his last.
専門家たちは、今度のサッカーの試合が彼の最後の試合になると予想している。

□□□ 378

scrub

/ skrʌ́b /

動 **to rub something with force to clean it** ～をごしごし洗う

例 Luckily she was able to **scrub** the stain out of her favorite shirt.
幸いなことに、彼女はお気に入りのシャツの染みをこすり落とすことができた。

□□□ 379

flaw

/ flɔ́ː /

形 flawed 傷のある

名 **a small defect, such as a crack or stain** 傷、ひび、染み

ⓘ「欠陥、不備」という意味もある。flawless（傷のない、欠陥のない）という語も覚えておこう。

例 The store sells furniture with small **flaws** at a discount price.
その店では小さな傷のある家具を割引価格で販売している。

□□□ 380

durable

/ d(j)ʊ́ərəbl /

副 durably 丈夫に
名 durability 耐久性

形 **staying in good condition even after a long time has passed** 耐久性のある

≒ enduring

⇔ weak, fragile

〈dur（続く）+-able（できる）〉

例 Bags made by Robbie Bags are known for being **durable** and stylish.
Robbie Bags製の鞄は、耐久性がありおしゃれであることで有名だ。

□□□ 381

premium

/ príːmiəm /

名 **the price of insurance; the amount paid for insurance**

保険料

ⓘ 発音に注意。

例 Health insurance **premiums** cost employees 50 dollars per month on average.

従業員の健康保険料は平均月額50ドルだ。

形 **of very high quality**

上等な、高品質の

例 Amigo Ice Cream currently produces over 50 **premium** ice cream flavors.

Amigoアイスクリームでは現在、50を超えるフレーバーの高級アイスクリームを作っている。

□□□ 382

disrupt

/ dɪsrʌ́pt /

名 disruption 混乱、途絶
形 disruptive 破壊的な、混乱を伴う

動 **to interrupt something's normal progress or activity**

〈進行など〉を中断させる、混乱させる

〈dis-（離れて）+rupt（破る）〉

例 Bus service has been **disrupted** by the heavier than normal rainfall this evening.

今晩は通常を超える降雨量のためバスの運行が中断されている。

□□□ 383

pickup

/ píkʌ̀p /

名 **the act of going to get someone or something to take them to another place**

集荷、迎え

ⓘ pick-upとハイフンつきでつづられることもある。

例 The daycare offers a **pickup** and drop-off service for children with working parents.

その託児所は、働く親を持つ子どものための送迎サービスを提供している。

384

lighthouse

/ láɪthàʊs /

名 **a tower with a powerful light that is built on the coast to guide ships away from danger**

灯台

例 The **lighthouse** is one of the most photographed in Canada.

その灯台はカナダで最も写真に撮られている灯台の一つだ。

385

tow

/ tóʊ /

動 **to pull a vehicle, boat, etc. behind another vehicle with a rope or chain**

〈船・車など〉を綱で引っ張る、レッカー移動する

例 Her car was **towed** away for violating parking rules.

彼女の車は駐車規則に違反したためレッカー移動された。

386

transcript

/ trǽnskrɪpt /

名 **a written copy of words that were originally spoken**

書き起こし

≒ transcription

〈tran-（越えて）+sript（書かれたもの）〉

ⓘ「（卒業した学校の）成績証明書」という意味もある。

例 Our lecturers always provide **transcripts** for use by students with hearing disabilities.

私たちの講師は常に、聴覚障害のある学生が使うための講義の書き起こしを提供している。

387

specification

/ spèsəfɪkéɪʃən /

動 specify ～を詳しく述べる

名 **a detailed description of how something should be made or done**

（製品などの）仕様書、明細書

ⓘ ふつう複数形で使う。

例 Check that your computer meets the **specifications** listed before ordering this software.

本ソフトを注文される前に、お使いのコンピュータが記載の仕様を満たしていることをご確認ください。

□□□ 388

intern

/ íntəːrn /

名 **a student or recent graduate who works at a job, sometimes without pay, for a short amount of time to gain experience**

実習生、インターン

ⓘ internship（インターンシップ）という語も覚えておこう。

例 She worked as an **intern** at her local newspaper before being hired by The Floor Street Journal.

彼女はFloor Street誌に雇われる前、地元紙でインターンとして働いていた。

□□□ 389

workload

/ wəːrklòud /

名 **the amount of work that needs to be done**

仕事量、作業負荷

例 You will find that our degree program has a heavier **workload** than average.

当校の学位プログラムは、平均的なものよりも作業負荷が高いことがわかるでしょう。

□□□ 390

briefing

/ bríːfɪŋ /

名 **a meeting or document that provides people with instructions or news**

（事前に行われる）概要説明

ⓘ 動詞のbriefは「〈人〉に（事前に）必要な指示や情報などを与える」という意味。

例 All athletes attending the Flying Championships were required to attend a safety **briefing**.

Flying選手権に参加するすべてのアスリートは、安全に関する説明会に参加する義務があった。

□□□ 391

stunning

/ stʌ́nɪŋ /

動 stun ～をあぜんとさせる

形 **amazing, shocking, or very impressive**

驚くべき、（驚くほど）美しい

≒ breathtaking

⇔ unimpressive

例 Her new book contains hundreds of **stunning** images of the Taipei cityscape.

彼女の新しい本には、台北の街並みの何百もの素晴らしい画像が載っている。

□□□ 392

spouse

/ spáʊs /

名 **a married partner**

配偶者

例 You will only be able to apply for a **spouse** visa from outside the country.

配偶者ビザは国外からのみ申請できます。

□□□ 393

reconcile

/ rékənsàɪl /

名 reconciliation 調停、和解

動 **to find a way in which two opposing ideas, situations, etc. can both be true or acceptable**

～を調和させる、調停する

≒ resolve

〈re-（再び）+con-（共に）+cile（呼ぶ）〉

例 They were able to **reconcile** their dispute with the assistance of a lawyer.

彼らは弁護士の助けを借りて論争を調停することができた。

□□□ 394

pottery

/ pá:təri | pɔ́t- /

名 **objects such as bowls or vases that are made out of clay, usually by hand, then baked so that they become hard**

陶器

ⓘ 集合名詞。数えるときはa piece [an item] of potteryなどと言う。

例 The museum near the station has a large collection of Egyptian **pottery**.

駅の近くの博物館は、エジプトの陶器を多数収蔵している。

□□□ 395

warehouse

/ wéərhàʊs /

名 **a large building used to store large amounts of goods**

倉庫

例 The company renting the building is using it as a **warehouse**.

その建物を借りている会社は、それを倉庫として使っている。

□□□ 396

surplus

/ sə́ːrplʌs | -pləs /

名 **more of something, such as money, than is needed or used**

余り、剰余金、黒字

≒ excess, remainder

⇔ deficit

ⓘ「余った、余分の」という形容詞の意味もある。

〈sur-（越えて）+plus（もっと多くの）〉

例 Budget **surpluses** are usually used to purchase new equipment or fund employee bonuses.

予算の余剰は通常、新しい機器の購入や、従業員のボーナスの資金に使われる。

□□□ 397

retrieve

/ rɪtríːv /

名 retrieval 回復；検索
形 retrievable 取り戻せる；回復できる

動 **to go and get something, then bring it back**

～を取り戻す、回収する

≒ fetch, recover ⇔ forfeit, relinquish

ⓘ「（コンピュータで）〈情報〉を検索する」という意味もある。

例 As too much time has passed, we are unfortunately unable to **retrieve** your lost data.

時間が経ちすぎたため、残念ながら紛失したデータを回収することはできません。

□□□ 398

workplace

/ wə́ːrkplèɪs /

名 **the place where you work**

職場

例 **Workplace** facilities have overgone renovations to improve worker satisfaction.

職場の施設は、社員の満足度を向上させるために改修された。

□□□ 399

litter

/ lítər /

動 **to cover a surface or area with things in a way that is not clean**

～を散らかす

ⓘ「散らかったもの、ごみ」という名詞の意味もある。

例 The CEO's desk was **littered** with contracts and reports.

CEOの机には契約書や報告書が散乱していた。

□□□ 400

malfunction

/ mælfʌ́ŋkʃən /

名 a failure of a machine or system to work as intended

誤作動

〈mal-（悪い）+function（機能）〉

例 A **malfunction** in the data storage of the app resulted in many users' personal information being released.

アプリのデータストレージの誤動作により、多くのユーザーの個人情報が公になった。

動 to fail to work as intended

誤作動する

例 The grocery store's refrigerator **malfunctioned**, which caused thousands of dollars in losses.

そのスーパーマーケットの冷蔵庫が故障し、数千ドルの損失が発生した。

章末ボキャブラリーチェック

次の語義が表す英単語を答えてください。

語義	解答	連番
❶ someone who supports or represents something or someone	advocate	357
❷ to make something start to work	activate	327
❸ the quality of being honest and adhering to personal moral principles	integrity	323
❹ staying in good condition even after a long time has passed	durable	380
❺ to walk slowly in a relaxed way	stroll	372
❻ to take away an amount from another amount	subtract	334
❼ one of the parts into which something can be divided	segment	337
❽ to officially tell someone about something	notify	333
❾ the act of going to get someone or something to take them to another place	pickup	383
❿ a meeting or document that provides people with instructions or news	briefing	390
⓫ a small business or shop that sells goods in a place it does not own	concession	331
⓬ a set of artistic pieces of work that an artist, photographer, etc. has done	portfolio	367
⓭ to interrupt something's normal progress or activity	disrupt	382
⓮ to attract someone or persuade them to do something	lure	360
⓯ very famous and talked about by many people	legendary	365
⓰ a student or recent graduate who works at a job, sometimes without pay, for a short amount of time to gain experience	intern	388
⓱ a failure of a machine or system to work as intended	malfunction	400
⓲ the act of watching someone or something carefully to prevent or detect a crime	surveillance	361

語義	解答	連番
⑲ a store or part of a store that sells and prepares medicines	pharmacy	363
⑳ very good	fabulous	371
㉑ not related to something, and therefore unimportant	irrelevant	353
㉒ an instrument that measures the size or amount of something	gauge	362
㉓ something that makes you remember something	reminder	349
㉔ one of usually two periods of time that make up the school year at a school or university	semester	369
㉕ arranged in order	serial	325
㉖ something that you keep to remind you of a place visited or an event attended	souvenir	348
㉗ to think of someone or something as being lower in ability, value, etc. than they actually are	underestimate	342
㉘ a person who answers questions for a survey	respondent	322
㉙ very successful and admired	distinguished	345
㉚ a tax on goods entering or leaving a country	tariff	352
㉛ to cover a surface or area with things in a way that is not clean	litter	399
㉜ the amount of work that needs to be done	workload	389
㉝ something that a person or place is known for making very well	specialty	330
㉞ extreme in a way that has serious or severe effects	drastic	373
㉟ problems or trouble that annoy or affect you negatively	inconvenience	375
㊱ an event where people get together again after being apart for a while	reunion	355
㊲ a structure built out into the water where boats can stop or people can walk	pier	343
㊳ to get and deal with questions or comments from others	field	350
㊴ the place where you work	workplace	398

語義	解答	連番
㊵ not stable and likely to change suddenly	unstable	368
㊶ an official examination of a person or company's financial records to make sure they are correct	audit	374
㊷ an important discovery, especially one made after working for a long time	breakthrough	358
㊸ something that limits what someone or something can do	constraint	346
㊹ the price of insurance; the amount paid for insurance	premium	381
㊺ to take someone somewhere while protecting or guarding them	escort	329
㊻ real or true	authentic	351
㊼ not good or suited for a specific purpose or situation	inappropriate	354
㊽ more of something, such as money, than is needed or used	surplus	396
㊾ to pull a vehicle, boat, etc. behind another vehicle with a rope or chain	tow	385
㊿ a detailed description of how something should be made or done	specification	387
51 a large building used to store large amounts of goods	warehouse	395
52 a set of rooms in a hotel that is used by one person, a couple, a family, etc.	suite	326
53 a famous person	celebrity	324
54 objects such as bowls or vases that are made out of clay, usually by hand, then baked so that they become hard	pottery	394
55 to prove that something is true	verify	364
56 unable to pay back borrowed money	bankrupt	356
57 a married partner	spouse	392
58 to go and get something, then bring it back	retrieve	397
59 very good and worth remembering	memorable	366

語義	解答	連番
⑥⓪ to find a way in which two opposing ideas, situations, etc. can both be true or acceptable	reconcile	393
⑥① all of the goods that are stored in a place	inventory	347
⑥② to (quickly) send someone or something somewhere for a particular purpose	dispatch	340
⑥③ a written copy of words that were originally spoken	transcript	386
⑥④ easily broken or damaged	fragile	338
⑥⑤ to divide and give out	allocate	344
⑥⑥ amazing, shocking, or very impressive	stunning	391
⑥⑦ to drink something slowly and by taking small mouthfuls	sip	328
⑥⑧ something that makes it hard to pay attention to what you are doing	distraction	339
⑥⑨ very personal or private	intimate	335
⑦⓪ the right or ability to decide what should be done	discretion	359
⑦① a period of time used to train and prepare people for a new job or course of study	orientation	341
⑦② coming or happening soon	forthcoming	377
⑦③ a small defect, such as a crack or stain	flaw	379
⑦④ to care deeply about something or someone	cherish	336
⑦⑤ to rub something with force to clean it	scrub	378
⑦⑥ going well with something else; able to exist together without any problems	compatible	376
⑦⑦ a brief note from one person to another working in the same organization	memorandum	370
⑦⑧ easily hurt, either physically or mentally	vulnerable	321
⑦⑨ a tower with a powerful light that is built on the coast to guide ships away from danger	lighthouse	384
⑧⓪ extremely well done, beautiful, or delicate	exquisite	332

スコア990への道 05

言い換えのパターン：単語と複数の語2

ここでも単語を複数の語（＝句）で言い換えるパターンを見ていきます。複数の語同士の言い換えも含めてありますので、難易度は上がります。

動詞

- □ **revise ⇔ make changes**（変更する）
- □ **handle ⇔ deal with**（～を扱う）
- □ **explain ⇔ account for**（～を説明する）
- □ **run ⇔ become a candidate**（立候補する）
- □ **align ⇔ line up**（～を一列に並べる）
- □ **follow ⇔ happen after**（～に続いて起こる）
- □ **reach**（届く）**⇔ be delivered to**（～に届けられる）
- □ **accommodate ⇔ provide space for**（～のための場所を提供する）
- □ **call back ⇔ return a call**（折り返し電話する）
- □ **share ⇔ have ~ in common**（～を共有する）

形容詞／副詞

- □ **present ⇔ in attendance**（出席して）
- □ **acclaimed ⇔ highly regarded**（称賛された）
- □ **consequently ⇔ as a result**（その結果）
- □ **internationally ⇔ around the world**（国際的に、世界中で）
- □ **at no cost ⇔ for free ⇔ free of charge**（無料で）
- □ **by chance**（偶然に）**⇔ at random**（無作為に）

Stage 6

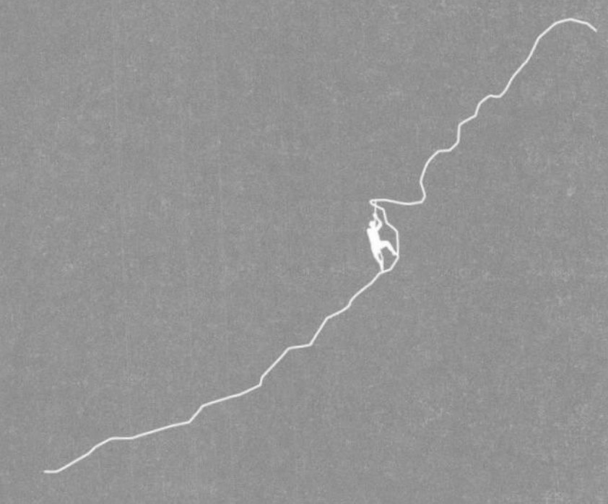

When the going gets tough, the tough get going.
困難なときが力の見せどき。

□□□ 401

minimize

/ mínəmàɪz /

動 to reduce the size of something undesirable so that it is as small as possible

～を最小限に抑える

形 minimal 最小限の
副 minimally 最小限に

⇔ maximize

ⓘ イギリス英語ではminimiseとつづる。

〈mini (小さい) +-ize (～にする)〉

例 Our company strives to **minimize** the use of animal byproducts in all items.

当社では、すべての品目で動物由来成分の使用を最小限に抑えるよう努めています。

□□□ 402

abridged

/ əbrídʒd /

形 《of a book, play, etc.》 shortened but keeping its basic structure and meaning

要約された、簡約版の

動 abridge 〈本・映画など〉を要約する
名 abridgment 要約、抜粋

⇔ unabridged

例 Barne's Publishing recently published a new **abridged** version of that play.

Barne's出版は最近、その戯曲の新しい要約版を刊行した。

□□□ 403

appendix

/ əpéndɪks /

名 a section at the end of a book that contains additional information

(巻末の) 付録、補遺

ⓘ 複数形はappendixesあるいはappendices/əpéndɪsìːz/。

例 Please refer to **Appendix** C for more information about the budget breakdown.

予算の内訳の詳細については、付録Cをご参照ください。

□□□ 404

outrageous

/ àʊtréɪdʒəs /

形 too extreme to be acceptable

常軌を逸した、法外な

名 outrage 激怒

≒ ridiculous, preposterous ⇔ reasonable

例 The cost they listed in their proposal for the construction project was **outrageous**.

彼らが建設プロジェクトへの提案で挙げた費用は、法外なものだった。

□□□ 405

tuition

/ t(j)u(:)íʃən /

名 **money paid to a school, especially a university or college, for the right to study there**

授業料

例 **Tuition** has increased exponentially in the past 30 years.

授業料は過去30年間で急激に上昇している。

□□□ 406

giveaway

/ gívəwèɪ /

名 **something that is given for free by a company, usually together with another item that is for sale**

無料サンプル、景品

例 Most booths at the trade show have **giveaways** to attract customers, such as coffee mugs and combs.

見本市のほとんどのブースでは、コーヒーマグやくしといった、顧客を引き付けるための景品を用意している。

□□□ 407

recipient

/ rɪsípiənt /

動 receive ～を受け取る

名 **someone who receives something**

受け手、受賞者

≒ receiver, awardee

〈re-（元に）+cip（受ける）+ -ient（名詞）〉

例 The **recipient** of the literary prize gave a speech in front of everyone.

その文学賞の受賞者は皆の前でスピーチを行った。

□□□ 408

bin

/ bín /

名 **a box used for storing things**

（収納）容器、箱

例 We have added recycling **bins** to all of our stores to promote proper waste disposal.

廃棄物の適切な処理を促進するため、全店舗にリサイクル回収箱を追加しました。

□□□ 409

nationwide

/ nèɪʃənwáɪd /

副 **happening or being in every part of the country**

全国的に

≒ countrywide

ⓘ 「全国的な」という形容詞の意味もある。「世界中で」はworldwide。

例 The coronation of the Queen was broadcast **nationwide**.

女王の戴冠式は全国に放送された。

□□□ 410

proofread

/ prúːfrìːd /

名 proofreader 校正者

動 **to read and fix mistakes in a written work**

～を校正する

≒ check

ⓘ proofread-proofread/-rèd/-proofread/-rèd/と活用する。

例 These manuscripts must be **proofread** by the 19th at the latest.

これらの原稿は遅くとも19日までに校正する必要がある。

□□□ 411

curb

/ kə́ːrb /

名 **the edge of the raised path at the side of a road**

縁石

ⓘ この意味ではイギリス英語ではkerbとつづる。発音の似ているcurve（曲がる）との混同に注意。

例 Any cars parked by the **curb** after midnight will be towed.

午前0時以降に縁石に駐車した車はレッカー移動されます。

動 **to control or limit something that is or can become harmful**

～を抑制する、制限する

≒ constrain, repress

例 In order to **curb** spending, the company had to reduce their staff.

支出を抑えるため、その会社は人員を削減しなければならなかった。

□□□ 412

plaque

/ plǽk /

名 **an item made of metal, wood, or stone that has writing on it and is used as a prize or as a sign on a building to remember something**

飾り額、表彰盾

例 The winner of the science competition will be awarded with a commemorative **plaque**.

理科の競技会の優勝者には、記念の盾が授与される。

□□□ 413

plumber

/ plʌ́mər /

名 plumbing 配管工事

名 **a person whose job is to fix or install sinks, toilets, water pipes, etc.**

配管工

ⓘ bは発音しない。

例 The secretary had to call a **plumber** to fix the leaking faucet.

秘書は、漏れている蛇口を修理するため配管工を呼ばなければならなかった。

□□□ 414

prestigious

/ prestíːdʒəs | -tídʒəs /

名 prestige 名声

形 **respected and important**

名誉ある、権威ある

≒ distinguished, prominent

例 She graduated from the most **prestigious** university in her country.

彼女は自国で最も権威のある大学を卒業した。

□□□ 415

refrain

/ rɪfréɪn /

動 **to stop yourself from doing something**

控える

≒ hold back

〈re-（後ろに）+frain（抑える）〉

ⓘ 〈refrain from *doing*〉（～することを控える）の形で押さえておこう。

例 We ask that all guests **refrain** from speaking loudly in the hallway.

すべてのお客さまは廊下で大声で話すことをご遠慮ください。

□□□ 416

lapse

/ lǽps /

動 **to no longer be recognized because a specific period of time has come to an end**

失効する、無効になる

ⓘ「過ち、過失」という名詞の意味もある。

例 The contract we had with our accounting firm **lapsed** last week.

先週、その会計事務所との契約は失効した。

□□□ 417

utensil

/ ju(:)ténsl /

名 **a simple tool used for cooking or eating**

（台所）用具、器具

例 All rooms have a kitchen equipped with basic appliances and a large range of kitchen **utensils**.

全室に、基本的な電化製品とさまざまな調理器具を備えたキッチンがあります。

□□□ 418

fragrance

/ fréɪgrəns /

形 fragrant よい香りのする

名 **a pleasant smell**

香り、芳香

≒ scent, aroma

ⓘ fra の発音は /freɪ/。「香水」という意味もある。

例 The cleaning product, sold by G&G, has a lovely citrus **fragrance**.

G&Gが販売するそのクリーニング製品は、素敵な柑橘系の香りがする。

□□□ 419

artisan

/ ɑ́ːrtəzən | ɑ̀ːtɪzǽn /

名 **a person who works by making things with their hands**

職人、熟練工

≒ craftsperson

例 The next craft show will host **artisans** from numerous backgrounds.

次のクラフトショーでは、さまざまな経歴を持つ職人を迎える。

420

prototype

/ próutətàɪp | práutəu- /

名 **an original model of something**

原型、試作品、プロトタイプ

例 The **prototype** for our newest electric car will be shown at the next Auto Convention.

わが社の最新の電気自動車の試作品は、次回の自動車コンベンションに出品されます。

421

terminate

/ tə́ːrmənèɪt /

名 termination 終了

動 **to make something end**

～を終わらせる

≒ put an end to, wrap up

〈term (終わり) +inate (～にする)〉

例 His contract with the company was **terminated** due to poor performance.

その会社との彼の契約は、業績が悪かったために打ち切られた。

422

formidable

/ fɔ́ːrmədəbl | fɔːmí- /

形 **very difficult to handle**

〈仕事などが〉厄介な、骨の折れる

ⓘ 「〈人が〉手強い」という意味もある。

例 Builders managed to solve **formidable** engineering problems when constructing the Great Wall of China.

万里の長城を建造する際、建設者たちは厄介な工学的な問題を苦労して解決した。

423

mentor

/ méntɔːr /

名 mentoring 新入社員教育
名 mentee 指導を受ける人

名 **someone who provides guidance and teaching**

指導者、助言者

≒ guide, advisor

ⓘ 「～を指導する」という動詞の意味もある。

例 Ms. Eloy acts as a **mentor** to young people trying to enter the business world.

Eloyさんは、ビジネスの世界に参入しようとする若者のメンターとしての役割を果たしている。

424

sunscreen

/ sʌ́nskrì:n /

名 **a cream or oil that you use to stop the sun from burning your skin**

日焼け止め

≒ sunblock

例 Joseph always uses SPF 50 **sunscreen** because he has very pale skin.

Josephは肌が非常に青白いため、常にSPF50の日焼け止めを使用している。

□□□ 425

checkup

/ ʧékʌ̀p /

名 **an examination of someone by a doctor to see if they are healthy**

健康診断

例 Annual **checkups** are covered under our most basic insurance plan.

毎年の健康診断は、私たちの最も基本的な保険プランでカバーされます。

□□□ 426

implication

/ ìmpləkéɪʃən /

動 imply ～を含意する

名 **a possible future result caused by something done now**

（予想される）影響、結果

≒ consequence

ⓘ ふつう複数形で使う。「含意」という意味もある。

〈im-（中に）+plic（折る）+-ation（名詞）〉

例 The decision to construct the dam will have significant **implications** for the local community.

ダム建設の決定は、地域社会に大きな影響を及ぼすだろう。

□□□ 427

speculate

/ spékjəlèɪt /

名 speculation 推測、憶測
形 speculative 推測の

動 **to think about something and make guesses about it**

（…だと）推測する

≒ hypothesize, surmise

〈spec（見る）+-ulate（動詞）〉

例 Analysts are **speculating** that the company will go public next year.

アナリストは、同社が来年株式を公開するのではないかと推測している。

428

endorse

/ ɪndɔ́ːrs /

名 endorsement 支持；認証

動 **to publicly support something**

～を公に支持する、承認する

≒ back

⇔ oppose

例 The City Council has **endorsed** the committee's recommendations to open a new park.

市議会は、新しい公園を開園するという委員会の勧告を承認した。

429

treadmill

/ trédmìl /

名 **a piece of exercise equipment with a belt that you can run or walk on while staying in the same place**

ルームランナー

例 She goes for a jog on a **treadmill** every morning before work.

彼女は毎朝仕事の前にルームランナーでジョギングする。

430

sewer

/ súːər /

名 **a pipe that is usually underground and carries away water and sewage**

下水道、下水管

例 This street will be closed tomorrow afternoon to replace aging **sewer** pipes.

この通りは、老朽化した下水管を交換するため、明日の午後は閉鎖される。

431

commentary

/ kάːmentèri | -təri /

動 comment ～を解説する

名 **a spoken or written explanation or discussion of something**

説明、解説

〈com- (共に) +ment (心) + -ary (名詞)〉

例 Customers who purchase the film will also get access to exclusive director's **commentary**.

映画をご購入のお客さまは、監督の独占解説もご覧いただけます。

□□□ 432

improper

/ ɪmprɑ́:pər | -prɔ́pə /

副 improperly 誤って

形 ① **wrong or incorrect**

正しくない、間違った

⇔ proper, right, correct

ⓘ「ふさわしくない、不適切な」という意味もある。

例 The warranty on computers purchased at Deon's does not apply to damages caused by **improper** use.

Deon'sでご購入になったコンピュータの保証は、誤った使用によって生じた損害には適用されません。

② **illegal, morally wrong, or unacceptable**

不法な、不道徳な

例 **Improper** use of company equipment may result in termination.

会社の備品を不正に使用した場合、解雇となる可能性があります。

□□□ 433

facilitate

/ fəsílətèɪt /

名 facilitation 容易にすること；促進

名 facilitator 進行係、司会者

動 **to make something happen more easily or effectively**

～を容易にする、促進する

≒ ease, promote

⇔ block, impede

〈facil（簡単な）+itate（～にする）〉

例 The new partnership between the municipal government and our company will **facilitate** economic growth in this region.

市と当社の新たなパートナーシップにより、この地域の経済成長が促進されます。

□□□ 434

withhold

/ wɪðhóʊld /

動 **to refuse to give something to someone**

（～を）与えない、差し控える

ⓘ withhold-withheld-withheldと活用する。

〈with（逆らって）+hold（保持する）〉

例 Department heads are asked to **withhold** from sharing specific details of today's meeting.

各部長は、本日の会議の具体的な詳細について話すことを差し控えてください。

□□□ 435

courtyard

/ kɔ́ːrtjɑ̀ːrd /

名 **an open space surrounded completely or partly by a building or group of buildings**

中庭

例 The hotel **courtyard** was filled with roses.

ホテルの中庭はバラでいっぱいだった。

□□□ 436

disregard

/ dìsrɪgɑ́ːrd /

動 **to ignore something or act like it is not important**

～を無視する

≒ dismiss

例 If you have already changed your password, please **disregard** this message.

すでにパスワードを変更している場合は、このメッセージは無視してください。

□□□ 437

vintage

/ víntɪdʒ /

形 **old, but valued because of its quality or design**

年代物の、古くて価値のある

≒ antique

例 Our store specializes in selling **vintage** wristwatches.

当店は年代物の腕時計の販売を専門としています。

□□□ 438

eligible

/ éləʤəbl /

名 eligibility 資格、適格性

形 **able or allowed to do something**

資格のある

≒ qualified, fit, worthy, suitable

⇔ unacceptable, unfit

〈e-（外に）+lig（選ぶ）+-ible（できる）〉

ⓘ 〈eligible to＋動詞〉〈eligible for＋名詞〉の形で使われることが多い。

例 Employees will be **eligible** for paid vacation after they have worked here for six months.

従業員は、ここで6か月間働くと、有給休暇を取得する資格を得る。

□□□ 439

mandatory

/ mǽndətɔ̀ːri | -təri /

動 mandate ～を命ずる

形 **required by a rule**

義務的な、強制的な

≒ compulsory, obligatory

⇔ optional, voluntary

例 It is **mandatory** for all staff members to attend the annual training sessions.

すべてのスタッフは年次研修会に参加することが義務付けられている。

□□□ 440

allegedly

/ əlédʒɪdli /

動 allege（十分な証拠を出さずに）～を主張する
名 allegation 申し立て、主張

副 **said to have happened but not proven**

伝えられるところでは

≒ reportedly, supposedly, purportedly

⇔ actually

例 The Finance Minister was **allegedly** seen entering a restaurant with a famous business owner last night.

伝えられるところでは、昨夜、財務大臣が有名な事業主とレストランに入るところが目撃された。

□□□ 441

unanimous

/ ju(ː)nǽnəməs /

副 unanimously 満場一致で
名 unanimity 満場一致

形 ① **agreed to by all people involved**

全会一致の

⇔ divided

〈un (1) +anim (息、生命) + -ous (満ちた)〉

例 The new cellphone law received **unanimous** support from the city councilors.

新しい携帯電話法は、市議会議員から全会一致の支持を受けた。

② **having the same opinion**

同意見で

ⓘ 名詞の前では使わない。

例 Local people are **unanimous** in their opposition to the proposed demolition of the library.

地元の人々は、図書館の取り壊しの提案に反対する点で一致している。

□□□ 442

linger

/ líŋgər /

動 **to stay or last longer than is usual, expected, or appropriate**

ぐずぐずする、長居する

≒ remain, persist

⇔ leave

〈ling（長い）+-er（動詞）〉

例 The audience **lingered** after the play, hoping for a chance to see the lead actress once more.

観客は主演女優をもう一目見る機会を期待して、終演後もぐずぐずしていた。

□□□ 443

synthetic

/ sɪnθétɪk /

動 synthesize ～を合成する

形 **made by mixing different substances together rather than produced naturally**

合成の

≒ artificial, man-made, unnatural

⇔ natural

例 Nylon and polyester are two of the most widely used **synthetic** fibers.

ナイロンとポリエステルは、最も広く使用されている合成繊維のうちの2つだ。

□□□ 444

duplicate

/ 形 名 d(j)ú:plɪkət 動 d(j)ú:plɪkèɪt /

名 duplication 複製、コピー

形 **exactly the same as another thing, or made as a copy of something else**

複製の、コピーの

≒ identical

〈du（2）+plic（折る）+-ate（動詞）〉

ⓘ 名詞の前で使う。「複写、コピー」という名詞の意味もある。triplicate（3通の、3通作成する）という語も覚えておこう。

例 Please sign the page on top and keep the **duplicate** copy for your records.

ページ上部に署名し、控えとして副本を保管してください。

動 **to make an exact copy of something**

～を複製する

≒ copy

例 All contracts must be **duplicated** before being filed.

契約書はすべて、保管する前にコピーを取る必要がある。

□□□ 445

excerpt

/ éksəːrpt /

名 **a short piece of writing, music, film, etc. that has been taken from a longer and complete version**

引用、抜粋

≒ extract

ⓘ「～を抜粋する」という動詞の意味もある。発音は /eksə́ːrpt/。

例 An **excerpt** from Mio Dubois's latest book will be published in the next issue of our magazine.

Mio Duboisの最新の本からの抜粋が、本誌の次号に掲載されます。

□□□ 446

ramp

/ rǽmp /

名 **a slope built to connect two places of different heights**

スロープ、傾斜路

ⓘ「（高速道路の）出入口」という意味もある。ramp up（～を一定の割合で増やす）という動詞の表現も押さえておこう。

例 The young man is pushing a motorcycle up a **ramp**.

若い男性はオートバイを押してスロープを上っている。

□□□ 447

landmark

/ lǽndmɑ̀ːrk /

名 **an object or structure that is easy to see and recognize**

目印となる建物

例 The Statue of Liberty is a famous **landmark** in New York City.

自由の女神像はニューヨーク市の有名なランドマークだ。

□□□ 448

intriguing

/ ɪntríːgɪŋ /

動 intrigue ～の興味を引く

形 **very interesting**

興味をそそる

≒ captivating, provocative

例 The artist's most **intriguing** designs can be found at the Farrow Museum of Art.

その芸術家の最も興味をそそるデザインは、Farrow美術館で見ることができる。

□□□ 449

vendor

/ véndər /

動 vend ～を売る

名 ① **someone who sells things, usually on the street**

行商人、露店商人

≒ seller

ⓘ vending machineは「自動販売機」。

例 While in New York, be sure to eat at one of the city's famed hot dog **vendors**.

ニューヨーク滞在中、ぜひこの街の有名なホットドッグの屋台の一つで食事をしてみてください。

② **a business that focuses on selling a specific product**

販売業者

≒ seller

例 The company is India's leading tableware **vendor**.

その会社はインドでナンバーワンの食器販売業者だ。

□□□ 450

pesticide

/ péstəsàɪd /

名 **a chemical used to kill animals or insects that harm plants or crops**

殺虫剤、害獣駆除剤

ⓘ herbicideは「除草剤」という意味。

〈pest（害虫）+(i)cide（殺す）〉

例 All vegetables at Nog Farms are grown without using **pesticides**.

Nog Farmsの野菜はすべて、殺虫剤を使わずに栽培されている。

□□□ 451

receptionist

/ rɪsépʃənɪst /

名 **a person whose job is to greet or deal with people who enter or call a hotel, office, etc.**

受付係

〈re-（元に）+ception（受けること）+-ist（人）〉

例 We are recruiting a new **receptionist** to work the Saturday morning shift at our clinic.

当クリニックでは土曜日の午前中のシフトで働ける新しい受付係を募集しています。

□□□ 452

momentum

/ moʊméntəm | məʊ- /

名 **the force that allows something to keep moving or growing stronger or faster**

勢い、やる気

≒ energy

例 The startup has had its most successful year yet and hopes to keep up the **momentum**.

その新興企業はこれまでで最も成功を収めた年を送っており、勢いを維持したいと望んでいる。

□□□ 453

setback

/ sétbæk /

名 **a problem which causes a delay or makes success more difficult to achieve**

障害、妨げ、挫折

≒ obstacle, blow, hindrance

⇔ boost, advantage

例 The recent rainy weather has caused numerous **setbacks** on the bridge building project.

最近の雨がちな天気は、橋の建設計画に多くの停滞をもたらした。

□□□ 454

refill

/ 動 rìːfíl 名 ríːfìl /

動 **to fill something again**

～を補充する、詰め替える

≒ replenish, restock

〈re-（再び）+fill（満たす）〉

例 Please **refill** the racks whenever stock gets low.

在庫が少なくなったときは棚を補充してください。

名 **something you buy in a cheap container that is used to fill up a more expensive one**

詰め替え品、リフィル

ⓘ「2杯目、おかわり」という意味もある。

例 All our pens have **refill** options available in order to reduce waste.

当社のペンはどれも、ごみを減らすための詰め替えをお選びいただけます。

□□□ 455

detergent

/ dɪtə́ːrdʒənt /

名 **a liquid or powder soap that is used to wash clothes or dishes**

洗剤

例 The company sells laundry **detergent** in both powder and liquid forms.

その会社は、粉末と液体の両タイプの洗濯洗剤を販売している。

□□□ 456

luncheon

/ lʌ́ntʃən /

名 **a formal lunch that happens as part of a meeting**

昼食会

例 We will be holding a **luncheon** for all our investors tomorrow at 1:00 P.M.

明日午後1時に投資家全員が対象の昼食会を開催します。

□□□ 457

privileged

/ prívəlɪdʒd /

名 privilege 特権

形 **having an opportunity to do something that most people cannot do**

光栄な、恵まれた

≒ honored

〈privi（単一の）+leg（法律）+-ed（された）〉

例 The actress stated that she was **privileged** to be starring in the famed director's upcoming film.

その女優は、有名な監督の新作映画で主演できることを光栄に思っていると述べた。

□□□ 458

surge

/ sə́ːrdʒ /

名 **a sudden, large increase**

高まり、急上昇

≒ spike

ⓘ「急上昇する」という動詞の意味もある。

例 The recent **surge** in demand for our face cleansing products has caused a delay in restocking.

最近、当社の洗顔製品の需要が急増したことで、補充が遅れています。

□□□ 459

renowned

/ rɪnáʊnd /

名 renown 名声

形 **well-known and admired**

名高い

≒ distinguished, notable

⇔ unknown, obscure

〈re-（再び）+nown（名前）+ -ed（された）〉

例 This book was illustrated by a **renowned** European artist.

この本の挿し絵はヨーロッパの有名な画家によって描かれた。

□□□ 460

redeem

/ rɪdíːm /

形 redeemable 換金できる
名 redemption 換金、引き換え

動 **to exchange something for money, an award, etc.**

～を換金する、引き換える

〈red-（元に）+eem（買う）〉

例 This coupon can only be **redeemed** for food purchases over $50.

このクーポンは、50ドルを超える食品の購入にのみ換金できます。

□□□ 461

footage

/ fʊ́tɪʤ /

名 **a video recording of something**

映像、（テレビ・映画などの）場面

例 You can view **footage** of the car undergoing crash tests on the company Web site.

会社のウェブサイトにて、衝突実験を行っている車の映像がご覧になれます。

□□□ 462

cuisine

/ kwɪzíːn /

名 **a style of cooking**

料理（法）

≒ food, dishes

ⓘ フランス語から。発音に注意。

例 The city has a festival every year where you can try **cuisines** from many different countries.

その市では毎年、さまざまな国の料理を試食できるお祭りがある。

□□□ 463

punctual

/ pʌ́ŋktʃuəl /

副 punctually 時間厳守で
名 punctuality 時間厳守

形 **arriving or doing something at the decided time**

時間厳守の

⇔ irregular, late, unreliable

〈punct（先端）+-ual（形容詞）〉

例 The private railway company is proud to have the most **punctual** trains in the country.

その私鉄会社は、国内で最も時間に正確な列車を運行していることを誇りとしている。

□□□ 464

entrepreneur

/ àːntrəprənə́ːr | ɔ̀ntrəprə- /

名 entrepreneurship 起業家精神

名 **someone who starts a business**

起業家

ⓘ フランス語から。発音に注意。

例 Our magazine strives to introduce young **entrepreneurs** who are improving the world.

本誌は、世の中をよくしようとしている若い起業家を紹介するべく努めています。

□□□ 465

premiere

/ prɪmíər | prémíèə /

名 **the first time a movie, play, etc. is shown to the public**

（演劇・映画などの）初日

例 The **premiere** for Jennifer Fauci's first movie as a lead actress was in 1982.

Jennifer Fauciの初主演映画の封切りは1982年だった。

□□□ 466

redundant

/ rɪdʌ́ndənt /

名 redundancy 余剰（人員）
副 redundantly 重複して

形 **not necessary because it is repeating something else**

余分な、不要な

≒ superfluous, excessive

例 Some positions at our company have become **redundant** now that we have invested in robot technology.

ロボット技術に投資した結果、当社の一部の職は不要になった。

□□□ 467

viable

/ váɪəbl /

形 **possible to use or do**

実行可能な

≒ doable, feasible

⇔ impossible

例 Selling this product will not be economically **viable** if we do not increase public interest.

私たちが人々の関心を高めないと、この製品を売ることは経済的に実行可能ではない。

□□□ 468

certificate

/ sərtífɪkət /

動 certify ～を保証する
名 certification 証明、保証

名 **a piece of paper that is official proof of something**

証明書

ⓘ gift certificate（商品券）、certificate of appreciation（感謝状）といった形でも出題される。

例 This program will award a **certificate** of completion upon graduation.

このプログラムは、卒業時に修了証を授与します。

□□□ 469

defective

/ dɪféktɪv /

名 defect 欠点、欠陥
副 defectively 不完全に

形 **having a fault**

欠陥のある

≒ faulty, flawed ⇔ perfect, flawless

ⓘ 傷などの外面的な欠陥はflawと言う。

例 Airbags from the 2020 model of this car have been recalled because they are **defective**.

この車の2020年モデルのエアバッグは、欠陥があるためリコールされた。

□□□ 470

fuse

/ fjúːz /

名 fusion 融合

動 **to join different things together, such as ideas or objects**

～を融合させる

≒ blend, meld, merge

例 Her film has become a topic in the news for how it **fuses** reality and fiction together so beautifully.

彼女の映画は、現実とフィクションを美しく融合していることでニュースで話題になっている。

□□□ 471

habitat

/ hǽbətæ̀t /

名 **the place where something lives**

（動物の）生息地、（植物の）自生地

≒ environment, home

例 The national park's mission is to protect the **habitat** of Alps wildlife.

その国立公園の使命は、アルプスの野生生物の生息地を保護することだ。

□□□ 472

evacuate

/ ɪvǽkjuèɪt /

名 evacuation 避難

動 **to leave or remove people from a dangerous place**

避難する；〈人〉を避難させる

ⓘ 他動詞では「〈場所〉から避難する」という使い方もある。

〈e-（外に）+vacu（からの）+ -ate（～にする）〉

例 All residents were safely **evacuated** before the banks broke.

堤防が決壊する前に、すべての住民は安全に避難した。

474語

□□□ 473

mow

/ móʊ /

動 **to cut grass using a machine or tool with one or more blades**

〈草など〉を刈る

ⓘ lawn mower（芝刈り機）はPart 1で頻出。

例 As a teenager, Mr. Davis earned money by **mowing** people's lawns.

10代のころ、Davisさんは人の家の芝生を刈ることでお金を稼いだ。

□□□ 474

chore

/ tʃɔ́ːr /

名 **something you have to do that is not enjoyable**

つまらない［面倒な］作業

≒ burden, hassle

ⓘ「（日常的な）家事、雑用」という意味もある。chの発音に注意。

例 Though writing reports is a **chore**, the information they provide is useful for making company improvements.

レポートを書くのは面倒だが、それが提供する情報は会社の改善に役立つ。

□□□ 475

accelerate

/ əksélərèɪt /

名 acceleration 加速（度）、促進

動 **to make something happen sooner or more quickly**

～を加速させる

≒ hurry, speed up ⇔ delay, slow

〈ac-（～に）+celer（速い）+ -ate（～にする）〉

ⓘ「アクセル」はacceleratorを略した和製英語。

例 The local government hopes that cutting taxes will **accelerate** economic growth.

その地方自治体は減税によって経済成長が加速することを期待している。

□□□ 476

skeptical

/ sképtɪkl /

副 skeptically 懐疑的に
名 skepticism 懐疑、疑い
名 skeptic 懐疑論者

形 **having doubts about something that other people say or think is true**

懐疑的な、疑っている

≒ dubious, suspicious

ⓘ イギリス英語ではscepticalとつづる。

例 Critics are **skeptical** of the skin cream's efficacy.

批判者たちは、そのスキンクリームの有効性に懐疑的だ。

□□□ 477

forge

/ fɔ́:rʤ /

動 **to form or develop something new, especially some kind of relationship**

〈関係など〉を築く

≒ create

例 By attending the dinner party, Mary Connors was able to **forge** many new relationships.

ディナーパーティーに参加することで、Mary Connorsは多くの新しい関係を築くことができた。

□□□ 478

transit

/ trǽnsət | -zɪt /

名 **the process of moving things or people from one location to another**

輸送、交通

〈trans-（越えて）+it（行く）〉

例 Any items that are damaged in **transit** will be eligible for a full refund.

輸送中に破損したどんな商品も、全額返金の対象となります。

□□□ 479

rectangular

/ rektǽŋgjələr /

形 **being in the shape of a rectangle**

長方形の

〈rect（正しい）+angul（角）+-ar（形容詞）〉

例 **Rectangular** computer monitors are much more common than square ones.

長方形のコンピュータモニターは、正方形のものよりもずっと一般的だ。

□□□ 480

enroll

/ ɪnróʊl /

名 enrollment 登録、入会、入学

動 **to join something, such as a school or club**

登録する

≒ register, enlist

⇔ resign, drop out

ⓘ イギリス英語ではenrolとつづる。

例 All of our employees are encouraged to **enroll** in the various self-improvement courses that we offer.

当社のすべての従業員は、当社が提供するさまざまな自己啓発コースに登録することを奨励されている。

章末ボキャブラリーチェック

次の語義が表す英単語を答えてください。

語義	解答	連番
❶ being in the shape of a rectangle	rectangular	479
❷ to make something happen more easily or effectively	facilitate	433
❸ arriving or doing something at the decided time	punctual	463
❹ the edge of the raised path at the side of a road	curb	411
❺ agreed to by all people involved	unanimous	441
❻ someone who starts a business	entrepreneur	464
❼ having doubts about something that other people say or think is true	skeptical	476
❽ a person whose job is to greet or deal with people who enter or call a hotel, office, etc.	receptionist	451
❾ a spoken or written explanation or discussion of something	commentary	431
❿ a video recording of something	footage	461
⓫ to form or develop something new, especially some kind of relationship	forge	477
⓬ the process of moving things or people from one location to another	transit	478
⓭ to reduce the size of something undesirable so that it is as small as possible	minimize	401
⓮ to fill something again	refill	454
⓯ wrong or incorrect	improper	432
⓰ to stay or last longer than is usual, expected, or appropriate	linger	442
⓱ said to have happened but not proven	allegedly	440
⓲ very interesting	intriguing	448
⓳ to cut grass using a machine or tool with one or more blades	mow	473
⓴ money paid to a school, especially a university or college, for the right to study there	tuition	405

語義	解答	連番
㉑ a section at the end of a book that contains additional information	appendix	403
㉒ the force that allows something to keep moving or growing stronger or faster	momentum	452
㉓ to stop yourself from doing something	refrain	415
㉔ someone who sells things, usually on the street	vendor	449
㉕ to read and fix mistakes in a written work	proofread	410
㉖ having a fault	defective	469
㉗ to make something happen sooner or more quickly	accelerate	475
㉘ a formal lunch that happens as part of a meeting	luncheon	456
㉙ possible to use or do	viable	467
㉚ a piece of exercise equipment with a belt that you can run or walk on while staying in the same place	treadmill	429
㉛ to refuse to give something to someone	withhold	434
㉜ a person whose job is to fix or install sinks, toilets, water pipes, etc.	plumber	413
㉝ very difficult to handle	formidable	422
㉞ something you have to do that is not enjoyable	chore	474
㉟ a sudden, large increase	surge	458
㊱ to join different things together, such as ideas or objects	fuse	470
㊲ something that is given for free by a company, usually together with another item that is for sale	giveaway	406
㊳ a piece of paper that is official proof of something	certificate	468
㊴ a possible future result caused by something done now	implication	426
㊵ an open space surrounded completely or partly by a building or group of buildings	courtyard	435
㊶ a chemical used to kill animals or insects that harm plants or crops	pesticide	450
㊷ an original model of something	prototype	420
㊸ happening or being in every part of the country	nationwide	409

語義	解答	連番
㊹ a simple tool used for cooking or eating	utensil	417
㊺ someone who receives something	recipient	407
㊻ a problem which causes a delay or makes success more difficult to achieve	setback	453
㊼ a pipe that is usually underground and carries away water and sewage	sewer	430
㊽ a person who works by making things with their hands	artisan	419
㊾ a liquid or powder soap that is used to wash clothes or dishes	detergent	455
㊿ not necessary because it is repeating something else	redundant	466
51 to join something, such as a school or club	enroll	480
52 the place where something lives	habitat	471
53 respected and important	prestigious	414
54 a box used for storing things	bin	408
55 to make something end	terminate	421
56 a pleasant smell	fragrance	418
57 made by mixing different substances together rather than produced naturally	synthetic	443
58 an item made of metal, wood, or stone that has writing on it and is used as a prize or as a sign on a building to remember something	plaque	412
59 an examination of someone by a doctor to see if they are healthy	checkup	425
60 to ignore something or act like it is not important	disregard	436
61 required by a rule	mandatory	439
62 the first time a movie, play, etc. is shown to the public	premiere	465
63 to leave or remove people from a dangerous place	evacuate	472
64 a cream or oil that you use to stop the sun from burning your skin	sunscreen	424
65 well-known and admired	renowned	459

語義	解答	連番
⑯ too extreme to be acceptable	outrageous	404
⑰ a slope built to connect two places of different heights	ramp	446
⑱ a style of cooking	cuisine	462
⑲ exactly the same as another thing, or made as a copy of something else	duplicate	444
⑳ 《of a book, play, etc.》 shortened but keeping its basic structure and meaning	abridged	402
㉑ an object or structure that is easy to see and recognize	landmark	447
㉒ old, but valued because of its quality or design	vintage	437
㉓ able or allowed to do something	eligible	438
㉔ to publicly support something	endorse	428
㉕ to exchange something for money, an award, etc.	redeem	460
㉖ a short piece of writing, music, film, etc. that has been taken from a longer and complete version	excerpt	445
㉗ having an opportunity to do something that most people cannot do	privileged	457
㉘ someone who provides guidance and teaching	mentor	423
㉙ to think about something and make guesses about it	speculate	427
㉚ to no longer be recognized because a specific period of time has come to an end	lapse	416

スコア990への道 06

言い換えのパターン：より広い概念を使う（一般化）

より一般的な語を使って言い換えるパターンもあります。例えば、vice president（副社長）をexecutive（重役）と言い換えるような場合です。例を見てみましょう。

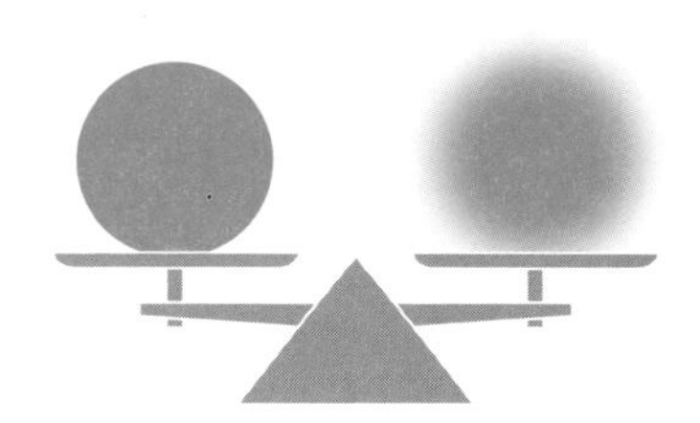

名詞

□ **correspondence**（通信）⇒ **communication**（やり取り）
□ **car reservation**（車の予約）⇒ **transportation arrangements**（交通手段の手配）
□ **experience in a similar position**（似たような職の経験）⇒ **previous experience**（以前の経験）
□ **the journalist's recounting of his experience**（ジャーナリストによる体験談）⇒ **a personal story**（個人的な話）

動詞

□ **sweep**（〜を掃く）⇒ **clean**（〜を掃除する）
□ **schedule a private consultation**（個別相談のスケジュールを決める）⇒ **arrange a meeting**（会う手配をする）
□ **show clients how the product works**（製品がどのように役立つか客に見せる）⇒ **give a demonstration**（実演する）

形容詞／副詞

□ **updated**（更新された）⇒ **revised**（修正された）
□ **for decades**（何十年も）⇒ **for many years**（長年）

Stage 7

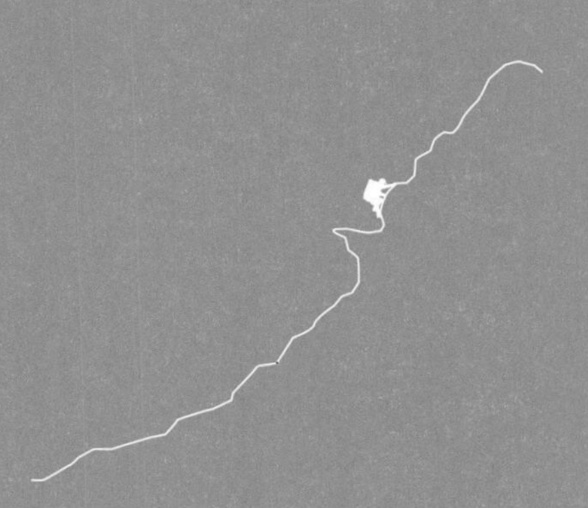

Where there's a will, there's a way.
志あるところに道あり。

□□□ 481

contradict

/ kɑ̀ntrədíkt | kɔ̀n- /

形 contradictory 矛盾した
名 contradiction 矛盾

動 to be different from something in a way that suggests that it is false, wrong, etc.

～と矛盾する

⇔ coincide, match

〈contra-(反対)+dict(言う)〉

例 New studies about the safety of this product **contradict** those that were done before.

この製品の安全性に関する新しい研究は、以前に行われた研究と矛盾している。

□□□ 482

aviation

/ èɪviéɪʃən /

名 the business of making and flying airplanes, helicopters, etc.

航空、航空機産業

〈avi (鳥) +-ation (名詞)〉

例 The **aviation** industry boasts a very high safety rating compared to some other transportation-related industries.

航空業界は、他の運輸関連業界と比べてとても高い安全性評価を誇っている。

□□□ 483

payroll

/ péɪròʊl /

名 ① a list of a company's employees and the amount of money that they are paid

従業員名簿、給与支払い名簿

ⓘ on the payroll（雇用されて）という表現を覚えておこう。

例 He's been on the **payroll** of the top law firm in the city for over three years.

彼は3年以上にわたって市内トップの法律事務所に勤務している。

② the act of managing salary payments within a company

給与支払い

ⓘ payroll department [office] は「給与課」という意味。

例 By outsourcing some of our work, we hope to better manage our **payroll** costs.

わが社は業務の一部を外部委託することで、給与コストをより適切に管理したいと考えている。

□□□ 484

oversee

/ òʊvərsíː /

動 **to be in charge of making sure something is done correctly**

〈仕事・作業員など〉を監督する、監視する

名 oversight 見落とし；監督

≒ supervise, watch

ⓘ oversee-oversaw-overseenと活用する。

例 You will be responsible for **overseeing** a crew of 30 people during the construction project.

その建設プロジェクトの間、あなたは30人のグループを監督する責任があります。

□□□ 485

sturdy

/ stə́ːrdi /

形 **strong, well-made, and not easily broken**

頑丈な、丈夫な

≒ robust, solid

例 We use **sturdy** steel beams in the construction of all of our buildings.

当社はすべての建物の建設に頑丈な鉄骨を使用しています。

□□□ 486

quota

/ kwóʊtə /

名 **a specific amount of something that someone is expected to do or achieve**

ノルマ

例 Recruiters at our firm who exceed their monthly **quotas** will receive a bonus.

当社では毎月のノルマを超えた採用担当者にボーナスが出ます。

□□□ 487

maneuver

/ mənúːvər /

動 **to move an object or person in a way that is both careful and skillful**

～を巧みに移動する、操縦する

≒ steer

ⓘ 「(巧みな) 操作」という名詞の意味もある。イギリス英語ではmanoeuvreとつづる。

例 The mechanic carefully **maneuvered** the car into the narrow garage.

整備士は慎重に車を狭いガレージに移動させた。

□□□ 488

rotate

/ róʊteɪt | rəʊtéɪt /

名 rotation 回転、自転；交代

動 **to (regularly) change the person doing a specific job to someone else in a group**

交代で勤務する

ⓘ rotating exhibit（企画展）という表現も覚えておこう。

〈rot（車輪）+-ate（動詞）〉

例 The **rotating** schedule at this firm makes it difficult to attend private social gatherings.

この会社の交代勤務制のために、個人的な付き合いをするのは難しい。

□□□ 489

noteworthy

/ nóʊtwə̀ːrði /

形 **important enough that it should be paid attention to**

注目に値する

≒ notable, significant

⇔ insignificant, inconsequential, unimportant

〈note（注目する）+worthy（値する）〉

例 His scientific achievements in the development of new Parkinson's treatments are **noteworthy**.

新しいパーキンソン病治療法の開発における彼の科学的業績は注目に値する。

□□□ 490

chronicle

/ kráːnɪkl | krɔ́n- /

名 chronology 年代学
形 chronological 年代順の

動 **to describe events in the order that they happened**

～を年代順に記録する

〈chron(時間)+-icle(指小辞)〉

例 Professor Huang's new book **chronicles** the fall of the Roman Empire.

Huang教授の新しい本は、ローマ帝国の崩壊を年代順に記録している。

名 **a written description of a series of events in the order that they happened**

年代記

例 Her diary provides a **chronicle** of the American Civil War from the perspective of a young girl living in the South.

彼女の日記は、南部に住む少女から見た南北戦争の編年的な記録である。

□□□ 491

considerate

/ kənsídərət /

動 consider ～を考慮する
名 consideration 考慮；思いやり

形 **thinking about the feelings and rights of others and being kind to them**

思いやりのある

≒ thoughtful, attentive, compassionate

⇔ inconsiderate

例 Dr. Burke was very **considerate** of my son's fears when he got a tooth pulled last month.

Burke先生は先月の抜歯の際、息子が怖がるのをとても気づかってくれた。

□□□ 492

aspiring

/ əspáɪərɪŋ /

動 aspire 熱望する
名 aspiration 野心、切望

形 **wanting or hoping to do a certain thing**

～になりたい、～志望の

≒ would-be

ⓘ 名詞の前で使う。

〈a-（～に）+spir（息をする）+ing〉

例 The film school is especially popular among **aspiring** screenwriters.

その映画学校は、とりわけ脚本家志望者の間で人気だ。

□□□ 493

auditorium

/ ɔ̀:dətɔ́:riəm /

名 **a large room or building used for performances or public meetings**

講堂、ホール

≒ hall

〈audi（聞く）+orium（場所）〉

ⓘ 複数形はauditoriumsあるいはauditoria。

例 The **auditorium** was completely full for the first night of the play.

その演劇の初日の夜、ホールは完全に満員だった。

□□□ 494

overdue

/ òʊvərd(j)ú: /

形 **later than expected or required**

期限の過ぎた

⇔ timely, punctual

例 Your power bill payment is several weeks **overdue**.

お客さまの電力料金のお支払いが数週間遅れています。

□□□ 495

outgoing

/ àʊtgóʊɪŋ /

形 ① (friendly and) liking to meet and be around others

社交的な

≒ extroverted, sociable, talkative

⇔ introverted, shy

例 Cowler Industries is looking for an experienced, **outgoing** candidate to join our sales team.

Cowler Industriesでは、当社の営業チームに加わっていただける、経験豊富で外向的な志望者を募集しています。

---

② leaving a position that has been mentioned

退任する

≒ departing

例 The most likely successor to the **outgoing** HR Manager is Thomas Allan.

退任する人事部長の後継者として最も可能性が高いのは、Thomas Allanだ。

□□□ 496

exert

/ ɪgzə́ːrt /

名 exertion 努力

動 to use strength, influence, etc. to make something happen

〈力など〉を行使する

≒ apply

例 A local NGO has been **exerting** pressure on the city council to pass new laws to protect homeless people.

地元のNGOが、ホームレスの人々を保護するための新しい法律を可決するよう市議会に圧力をかけている。

□□□ 497

morale

/ mərǽl | -rɑ́ːl /

名 the feelings of enthusiasm, confidence, etc. that a group or team of people has

士気、意気込み

例 High **morale** is essential if we are going to get this project off the ground in time.

このプロジェクトを時間内に軌道に乗せるには、高い士気が不可欠だ。

□□□ 498

appetizer

/ ǽpətàɪzər /

形 appetizing 食欲をそそる

名 **a small amount of food that you eat at the beginning of a meal**

前菜

ⓘ イギリス英語ではappetiserともつづる。entrée（メインディッシュ）という語も覚えておこう。

〈ap-（〜に）+pet（求める）+ -izer（人）〉

例 The couple was given a small salad as their **appetizer**.

そのカップルには前菜として小さなサラダが出された。

□□□ 499

sequel

/ síːkwəl /

名 **a book, movie, play, etc. that is the continuation of a story previously made**

続編

〈sequ（ついていく）+-el（指小辞）〉

例 Fans of Mr. Lee's book have been waiting for the **sequel** for almost 10 years.

Leeさんの本のファンは10年近く続編を待っている。

500語

□□□ 500

liaison

/ líːəzɑ̀ːn | liéɪzn /

名 ① **contact between organizations or individuals to help them communicate and work together**

連絡、連携

≒ connection

例 The project succeeded thanks to close **liaison** between the company and the local authorities.

その会社と地方自治体との緊密な連絡のおかげで、プロジェクトは成功を収めた。

② **someone whose job is to transmit information between organizations, groups, etc.**

連絡係

例 Mr. Singh is the acting **liaison** for the university admissions office at this time.

Singhさんは現在、大学入学事務局の連絡係代理を務めている。

□□□ 501

shred

/ ʃréd /

名 shredder シュレッダー

動 to cut or tear something into smaller pieces

～を細く切る、シュレッダーにかける

例 Please make sure that you **shred** any confidential documents, rather than simply recycling them.

機密文書は単にリサイクルするのではなく、必ず裁断してください。

□□□ 502

invaluable

/ ɪnvǽljuəbl /

形 having high value or being very useful

非常に貴重な

≒ priceless ⇔ worthless, cheap

ⓘ〈in-（否定）+valuable（評価できる）〉で「評価できないほど貴重な」の意。valuable（貴重な）とほぼ同じ意味なので注意。

例 His antique car collection has been **invaluable** to our study of the early American automobile industry.

彼のクラシックカーのコレクションは、私たちの初期のアメリカ自動車産業の研究にとって非常に貴重だった。

□□□ 503

scrutiny

/ skrú:təni | -tɪ- /

動 scrutinize ～を精査する

名 the act of examining something thoroughly

精密な調査、精査

≒ inspection

例 The oil and gas industry has come under close **scrutiny** in recent years.

近年、石油・ガス業界は厳しく監視されている。

□□□ 504

explicit

/ ɪksplísɪt /

副 explicitly 明白に

形 expressed very clearly so that there is little or no room for doubt

明白な、あいまいさのない

⇔ implicit

〈ex-（外に）+plicit（折る）〉

例 The office cleaners were given **explicit** instructions to leave the CEO's office untouched.

オフィスの清掃員には、CEOの執務室に手を触れないよう明確な指示が与えられた。

□□□ 505

unprecedented

/ ʌnprésədəntɪd /

副 unprecedentedly これまでになく

形 **never done before**

前例のない

≒ unheard-of

例 The dam construction project was an **unprecedented** success.

ダム建設プロジェクトは前例のない成功を収めた。

□□□ 506

periodical

/ pìəriɑ́ːdɪkl | -ɔ́d- /

形 periodic 定期[周期]的な
副 periodically 定期[周期]的に

名 **a regularly published magazine, especially one that focuses on a technical or academic subject**

定期刊行物、雑誌

ⓘ「定期刊行の」という形容詞の意味もある。

〈peri-(周りに)+od(道)+ -ical(形容詞)〉

例 Dr. Grant subscribes to several biology **periodicals**.

Grant博士は、生物学の定期刊行物を何冊か購読している。

□□□ 507

dispense

/ dɪspéns /

名 dispenser 自動販売機、(銀行の)自動支払機

動 **to give something to someone, usually in a fixed amount**

(機械が)〈商品など〉を供給する、出す

例 This new vending machine **dispenses** a variety of hot snacks.

この新しい自動販売機は、さまざまな温かい軽食を販売している。

□□□ 508

merge

/ mɔ́ːrʤ /

名 merger 合併

動 **to combine multiple things into one thing**

統合する、合併する

≒ unite

⇔ separate

例 CF Animation announced plans to **merge** with YM Entertainment in the next quarter.

CF Animationは、次の四半期にYM Entertainmentと合併する計画を発表した。

□□□ 509

debris

/ dəbríː | débriː /

名 ① **the pieces remaining after something is damaged in an explosion, natural disaster, etc.**

がれき、残骸

≒ rubble, detritus

ⓘ フランス語から。語末のsは発音しない。

例 It took weeks for volunteers to clean up **debris** left on the beach from the storm.

ボランティアたちが嵐で浜辺に残されたがれきを片付けるのに何週間もかかった。

② **garbage and other unwanted items that are left somewhere**

ごみ、がらくた

例 The campsite was littered with old camping equipment and other **debris**.

キャンプ場には古いキャンプ用品やその他のごみが散らばっていた。

□□□ 510

expire

/ ɪkspáɪər /

名 expiration 終了、満期

動 **to end or no longer be valid**

期限が切れる

≒ cease, conclude ⇔ start, continue

〈ex-(外に)+pire(息をする)〉

ⓘ expiration date（有効期限）という表現も覚えておこう。

例 My driver's license is about to **expire**.

私の運転免許証はもうすぐ期限切れになる。

□□□ 511

foresee

/ fɔːrsíː /

形 foreseeable 予測可能な

動 **to see or guess something that has not happened yet**

～を予見する、見越す

≒ predict, foretell

〈fore-(前もって)+see(見る)〉

ⓘ foresee-foresaw-foreseenと活用する。

例 If you **foresee** any problems with this marketing plan, please let us know as soon as possible.

このマーケティングプランに問題が生じると予想される場合は、できるだけ早くお知らせください。

□□□ 512

questionnaire

/ kwèstʃənéər /

名 **a written set of questions that are given to multiple people to gain information**

アンケート

≒ survey

ⓘ フランス語から。発音に注意。

例 Please fill out the **questionnaire** if you want to be entered for a chance to win $100 worth of free products.

100ドル相当の無料製品を獲得するチャンスをご希望の場合は、アンケートにご記入ください。

□□□ 513

imperative

/ ɪmpérətɪv /

形 **very urgent and important**

絶対必要な、緊急の

≒ essential, crucial ⇔ optional

例 It is **imperative** that proper safety measures are taken before entering the factory floor.

工場に入る前に、適切な安全対策を講じることが不可欠だ。

□□□ 514

handout

/ hǽndàʊt /

名 **a piece of paper with information on it that is given to people attending a lesson, meeting, etc.**

配布資料、プリント、ちらし

ⓘ hand out（～を配る）という表現も覚えておこう。

例 Jefferson passed out **handouts** on his new product idea before beginning the session.

Jeffersonは集会の開始前に、彼の新製品のアイデアに関する配布物を配った。

□□□ 515

scenic

/ síːnɪk /

名 scenery 景色、風景

形 **having a beautiful view of natural scenery**

景色のよい

ⓘ ふつう名詞の前で使う。

例 That area has some of the most **scenic** views in the Mediterranean.

その地域には、地中海で最も美しい景色のいくつかがある。

□□□ 516

informative

/ ɪnfɔ́ːrmətɪv /

形 **giving information**

情報を提供する、有益な

≒ educational, enlightening

⇔ uninformative

例 Dr. Saba's talk on childhood literacy was very **informative**.

子どもの識字能力に関するSaba博士の話は非常に有益だった。

動 inform ～に知らせる
名 information 情報
形 informational 情報に関する

□□□ 517

lucrative

/ lúːkrətɪv /

形 **《of a job or activity》 able to bring in or make a lot of money**

利益の大きい、もうかる

≒ profitable

⇔ unprofitable

例 This emerging sector of the industry has proven to be **lucrative** for many young entrepreneurs.

業界のこの新興セクターは、多くの若い起業家にとって利益の多いものであることが証明されている。

副 lucratively もうけて、金になって

□□□ 518

misleading

/ mìslíːdɪŋ /

形 **likely to make someone believe something that is not true**

誤解を招く、紛らわしい

例 That **misleading** article from the Ford Daily has caused a lot of trouble for our company.

Ford Daily紙のその誤解を招く記事は、わが社に多くの迷惑をもたらした。

動 mislead ～を誤った方向に導く

□□□ 519

foremost

/ fɔ́ːrmòʊst /

形 **the most important or respected**

第一の、最も重要な

≒ leading, top

例 At the age of merely 10, she is one of the world's **foremost** skateboarders.

わずか10歳の彼女は、世界でも有数のスケートボーダーの一人だ。

□□□ 520

land

/ lǽnd /

動 ① **to successfully get something, such as a job or contract**

〈仕事など〉を勝ち取る

≒ secure

例 Mr. Clark was successful in **landing** a large construction contract.

Clarkさんは大規模な建設契約を結ぶことに成功した。

② **to return to the ground or another surface after a flight**

着陸する、着地する

⇔ take off

例 We will be **landing** at Toronto Pearson Airport in about 15 minutes.

当機はあと15分ほどでトロントピアソン空港に着陸いたします。

□□□ 521

adjacent

/ əʤéɪsnt /

副 adjacently 隣接して

形 **next to, nearby, or connected to something**

隣接した

≒ adjoining

〈ad- (～に) +jac (投げる) + -ent (形容詞)〉

例 Our office is **adjacent** to the local general hospital.

当事務所は地元の総合病院に隣接している。

□□□ 522

negligence

/ néglɪʤəns /

動 neglect ～を怠る、無視する
形 negligent 怠慢な
形 negligible わずかな

名 **the failure to take care of something or someone**

怠慢、不注意

〈neg (否定する) +lig (拾い上げる) +-ence (名詞)〉

例 Any damage caused by customer **negligence** will not be eligible for compensation.

お客さまの過失によるいかなる損害も補償の対象外となります。

□□□ 523

definitive

/ dɪfínətɪv /

形 **final and not able to be argued about or changed**

決定的な、最終的な

例 When John asked if he would be considered for the position, his manager did not give him a **definitive** answer.

Johnはその役職の候補になっているか尋ねたが、上司は彼に最終的な回答をしなかった。

□□□ 524

affluent

/ ǽfluənt /

副 affluently 裕福に
名 affluence 裕福さ

形 **having plenty of money and owning many expensive things**

裕福な

≒ wealthy, rich ⇔ destitute, poor

ⓘ「豊富な」という意味もある。

〈af-（〜に）+flu（流れる）+ -ent（形容詞）〉

例 Our stores are only located in the most **affluent** neighborhoods.

私たちの店は最も裕福な地域だけにあります。

□□□ 525

devastate

/ dévəstèɪt /

形 devastating 破壊的な
名 devastation 荒廃

動 **to heavily damage or destroy something**

〜を壊滅させる、荒廃させる

≒ ruin, wreck

例 That town was **devastated** by crop failure in the early 20th century.

その町は20世紀初頭の作物の不作によって荒廃した。

□□□ 526

unforgettable

/ ʌ̀nfərgétəbl /

形 **not able to be forgotten, especially because it is very good, beautiful, etc.**

忘れられない

≒ memorable ⇔ forgettable

例 Seaside Tours offers **unforgettable** beach experiences for individuals of all ages.

Seaside Toursは、あらゆる年齢層のお客さまに忘れられないビーチ体験をご提供します。

□□□ 527

plausible

/ plɔ́:zəbl /

副 plausibly もっともらしく
名 plausibility もっともらしさ

形 **seeming to be possible or true**

もっともらしい

≒ believable, conceivable

⇔ implausible, unbelievable

例 One **plausible** explanation for the high water bill is a leaking pipe somewhere on the property.

水道料金が高いことのもっともらしい説明の一つは、敷地内のどこかでパイプが漏っていることだ。

□□□ 528

apparel

/ əpǽrəl /

名 **clothing, especially when it is sold in shops**

衣服、衣料

≒ attire, dress

ⓘ 不可算名詞。

例 The ladies' **apparel** section of our department store covers four entire floors.

当デパートの婦人服売り場は、まる4フロアを使っている。

□□□ 529

credential

/ krədénʃəl /

名 ① **past experience or achievements that make a person suited to do something**

資格、資質

≒ qualification

例 Mehmet has all the **credentials** needed to be an excellent football coach.

Mehmetは、優れたフットボールのコーチになるために必要なあらゆる資質を備えている。

② **a document which shows that you have the skills needed to do something**

証明書

例 All applicants are asked to provide their teaching **credentials** along with their applications.

すべての応募者は、申請書と一緒に教員免許を提供するよう求められる。

□□□ 530

deploy

/ dɪplɔ́ɪ /

動 **to send out someone or something for a specific reason**

～を配置する、配備する

名 deployment（部隊の）配置、展開

≒ dispatch

⇔ withdraw

〈de-（離れて）+ploy（折る）〉

例 The city plans to **deploy** hundreds of additional police officers during the hockey championships.

市はホッケー選手権の間、何百人もの警察官を追加配備する計画だ。

□□□ 531

autobiography

/ ɔ̀:təbaɪɑ́:grəfi | -ɔ́g- /

名 **a book that someone has written about their own life**

自伝、自叙伝

≒ memoir

例 Mr. Sancak spent years perfecting his **autobiography** before having it published.

Sancakさんは何年もかけて自伝を完成させ、出版した。

□□□ 532

adverse

/ ædvə́:rs | ǽdvə:s /

形 **not good; unfavorable**

よくない、不利な

副 adversely 不都合に、反対に
名 adversary 敵、競争相手

≒ unfortunate, negative

⇔ beneficial, advantageous

〈ad-（～に）+verse（曲がる）〉

例 XYZ Co. overcame the **adverse** challenges caused by the financial crisis through strategic management.

XYZ社は、戦略的経営を通じて、金融危機によって引き起こされた逆境を乗り切った。

□□□ 533

proximity

/ prɑ:ksíməti | prɔks- /

名 **the state of being close to someone or something**

近いこと

≒ nearness, vicinity

例 Our hotel's close **proximity** to the train station makes it very practical for tourists.

当ホテルは鉄道駅に近いため、観光客にとってとても実用的です。

□□□ 534

drought

/ dráʊt /

名 **a long period of time during which there is little or no rain**

干ばつ

ⓘ 発音に注意。

例 This is the worst **drought** since recordkeeping began.

これは統計開始以来、最悪の干ばつだ。

□□□ 535

recur

/ rɪkə́ːr /

動 **to happen or be present again**

繰り返し起こる、再発する

〈re-（後ろに）+cur（走る）〉

例 **Recurring** problems with her new vacuum cleaner led her to return it for a refund.

新しい掃除機に繰り返し問題が発生したため、彼女はそれを返品して払い戻しを受けた。

□□□ 536

socialize

/ sóʊʃəlàɪz /

動 **to talk and do things with other people in a friendly way**

交流する、交際する

≒ mingle

ⓘ イギリス英語ではsocialiseともつづる。

例 We encourage all staff to **socialize** with each other during breaks.

休憩中にすべてのスタッフが互いに交流することをお勧めします。

□□□ 537

conserve

/ kənsə́ːrv | kɔ́n- /

名 conservation 保存、保護
形 conservative 保守的な

動 **to save something or use it carefully to stop damage from happening**

～を節約する、保存［保護］する

≒ preserve

〈con-（共に）+serve（保つ）〉

例 We have recently released a lightbulb proven to **conserve** 25% more energy than the traditional ones.

当社は最近、従来の電球より25％多くのエネルギーを節約できると実証された電球を発売した。

□□□ 538

stationary

/ stéɪʃənèri | -əri /

形 **not changing or moving from a particular place or position**

動かない、固定された

≒ immobile, static

ⓘ 同音のstationery（文房具）と混同しないよう注意。

〈stat（立つ）+-ion（名詞）+ -ary（形容詞）〉

例 The gym hoped that by purchasing more **stationary** bikes they could attract more members.

そのジムは、エアロバイクをもっと購入することで、より多くの会員を集めることを期待していた。

□□□ 539

unfavorable

/ ʌnféɪvərəbl /

形 **likely to cause problems or make something more difficult**

好ましくない、不都合な、不利な

≒ adverse, disadvantageous

ⓘ イギリス英語ではunfavourableとつづる。

例 The soil in the area makes conditions **unfavorable** to productive agriculture.

土壌のせいで、この地域は生産性の高い農業を営むには不利だ。

□□□ 540

culminate

/ kʌ́lmənèɪt /

動 **to reach the end of something**

最高潮に達する

例 Years of study have **culminated** in the release of this new interactive doll.

長年の研究は、この新しい対話型の人形の発売に結実した。

□□□ 541

publicize

/ pʌ́bləsàɪz /

名 publicity 公表、広報
形 public 公立の
副 publicly 公然と；公的に

動 **to give information about something to the public, making it more known**

～を告知する、宣伝する

≒ promote

ⓘ イギリス英語ではpubliciseともつづる。

〈publ（人）+-ic（形容詞）+ -ize（動詞）〉

例 Gail Kagawa is now in Paris to **publicize** her new fashion line.

Gail Kagawaは現在、新たなファッションブランドを宣伝するためにパリにいる。

542

usher

/ ʌ́ʃər /

名 a person who directs people to their seats at an event, such as a wedding or play

案内係

≒ guide

例 The **ushers** employed by the theater all wore smart suits for the premiere.

劇場に雇われた案内係は皆、初日のためにしゃれたスーツを着用していた。

動 to lead someone somewhere

～を案内する

≒ guide

ⓘ usher in（～の到来を知らせる）は、The treaty ushered in a new era of peace.（条約は新しい平和の時代の到来を告げた）のように使われる。

例 The staff member quickly **ushered** the family to their seats right before the play started.

スタッフは、劇が始まる直前にすばやくその家族を席に案内した。

543

fertilizer

/ fə́ːrtəlàɪzər /

形 fertile 肥沃な
動 fertilize ～を肥沃にする
名 fertility 肥沃さ

名 a substance that is added to soil to help plants grow

（化学）肥料

≒ manure

ⓘ イギリス英語ではfertiliserともつづる。

〈fertil（肥沃な）+-iz（動詞）+-er（人）〉

例 David is able to grow huge sunflowers without even using **fertilizer**.

Davidは肥料も使わずに巨大なヒマワリを育てることができる。

544

hectic

/ héktɪk /

形 very busy or filled with activity

慌ただしい、とても忙しい

≒ frenetic ⇔ calm

例 The accounting department is always **hectic** around tax time.

経理部は納税時期はいつも大忙しだ。

□□□ 545

ensuing
/ ɪns(j)ú:ɪŋ /

形 **happening after or because of another event**

続いて起こる

≒ following

ⓘ the ensuing days [weeks, months]（その後の数日間［数週間、数か月間］）の形で使われることが多い。

例 In the **ensuing** days, we released updates to fix the errors in our new game.

続く数日の間に、私たちは新しいゲームの不備を修正するためのアップデートをリリースした。

□□□ 546

lightweight
/ láɪtwèɪt /

形 **weighing less than usual**

軽量の

≒ light ⇔ heavyweight

例 Our newest hiking boots are both **lightweight** and sturdy.

当社の最新のハイキングブーツは軽量で頑丈です。

□□□ 547

spacious
/ spéɪʃəs /

名 space 空間
副 spaciously 広々と
名 spaciousness 広大さ

形 **having a lot of space**

広々とした

≒ roomy ⇔ cramped

例 The new model of the car features a **spacious** trunk and backseat.

その車の新モデルは、広々としたトランクと後部座席が売りだ。

□□□ 548

compliance
/ kəmpláɪəns /

形 compliant 従順な
動 comply 従う

名 **the act of following rules or directions**

順守

≒ consent, obedience ⇔ defiance, disobedience

ⓘ「コンプライアンス」はカタカナ語にもなっている。

例 Anyone not in **compliance** with our rules may be asked to leave.

当館の規則に従っていただけない場合、ご退去いただくことがございます。

□□□ 549

exempt

/ ɪgzémpt /

名 exemption 控除（額）

形 **not required to do something that others must do**

（義務などを）免除された

〈ex-（外に）+empt（取られた）〉

例 Our subsidiary is **exempt** from paying local taxes.

当社の子会社は地方税の支払いを免除されている。

動 **to say that someone does not have to do something**

〜に免除する

例 Anyone over the age of 65 will be **exempted** from the admission fee for the museum the last Saturday of every month.

65歳以上の方は、毎月最終土曜日に美術館の入場料が免除されます。

□□□ 550

ponder

/ pá:ndər | pɔ́n- /

動 **to think about something carefully for a period of time**

〜を熟考する

≒ consider

例 He **pondered** his next move in the chess game carefully.

彼はチェスをしていて、次の手を注意深く考えた。

□□□ 551

persistence

/ pərsístəns /

形 persistent 粘り強い
動 persist 続く、持続する

名 **the quality that lets someone continue trying or doing something even when it is difficult or opposed**

粘り強さ

≒ perseverance

〈per-（通して）+sist（立つ）+ -ence（名詞）〉

例 The **persistence** of the KO Games development team led to an excellent game being released.

KO Gamesの開発チームの粘り強さによって、素晴らしいゲームが発売されるに至った。

□□□ 552

obsolete

/ à:bsəlí:t | ɔ́b- /

形 **no longer used because it has been replaced by something newer and better**

時代遅れの、廃れた

名 obsolescence 廃れていること

≒ antiquated, archaic, out-of-date

⇔ new, cutting-edge, state-of-the-art

例 While fountain pens have become **obsolete** with the invention of more practical pens, they remain popular with collectors.

万年筆は、実用性にまさるペンの発明で時代遅れになったが、コレクターの間ではいまだに人気がある。

□□□ 553

mural

/ mjʊ́ərəl /

名 **a painting that is painted directly onto the surface of a wall**

壁画

例 The city government commissioned a local artist to paint a **mural** on the side of the new museum building.

市は地元の芸術家に、新しい美術館の側面に壁画を描くよう依頼した。

□□□ 554

superintendent

/ sù:pərɪnténdənt /

名 ① **a person whose job is to direct or manage a place, organization, etc.**

監督者、管理者

動 superintend ～を監督する、管理する

例 Our **superintendents** are expected to make sure that all construction projects go smoothly.

監督官は、建設計画がすべて滞りなく進捗していることを確認することが期待されている。

② **a person whose job is to maintain a building and make sure it is clean and without damage**

（ビルの）管理人

例 She had to call the **superintendent** of her apartment when the pipes burst due to the cold.

寒さでパイプが破裂し、彼女はアパートの管理人に電話しなければならなかった。

□□□ 555

quarterly

/ kwɔ́ːrtərli | -təli /

名 quarter 四半期、4分の1

形 **happening or done four times a year**

四半期ごとの

ⓘ 語尾がlyだが形容詞であることに注意。

例 Kingston Inc.'s first **quarterly** sales report will be issued in early April.

Kingston社の第1四半期の売上報告書は、4月上旬に出される。

□□□ 556

invoice

/ ínvɔɪs /

名 **a document that shows a list of goods or services provided and how much must be paid for them**

請求書、送り状

≒ bill

例 You should receive an **invoice** by e-mail within the next few days.

数日中にメールで請求書がお手元に届くはずです。

□□□ 557

roster

/ rɑ́ːstər | rɔ́s- /

名 **a list of the people who belong to a particular group, team, etc.**

名簿

例 The marketing firm added cell phone manufacturer 6W Systems to its **roster** of clients last winter.

そのマーケティング会社は昨冬、携帯電話メーカーの6W Systemsを顧客リストに加えた。

□□□ 558

intricate

/ íntrɪkət /

名 intricacy 複雑さ

形 **having many small parts or details**

複雑な

≒ complex, complicated

例 The **intricate** design of our computer hardware makes it difficult for a novice to add to their device themselves.

当社のコンピュータのハードウェアは複雑な設計のため、初心者が自分でデバイスに追加するのは困難だ。

558語

□□□ 559

recede

/ rɪsíːd /

名 recession 後退；不況
形 recessionary 景気後退の

動 ① to move away gradually

退く、後退する

〈re-（後ろに）+cede（行く）〉

例 It took several days without rain for the flood waters to **recede**.

洪水が引くのに、雨の降らない数日が必要だった。

② to become smaller or weaker

弱まる、減少する

≒ diminish

例 Gold prices have **receded** significantly in the past few months.

金の価格はこの数か月で大幅に下落した。

□□□ 560

warranty

/ wɔ́ːrənti /

動 warrant ～を保証する

名 a written agreement in which a company promises to fix or replace a product if it breaks within a certain period of time

保証（書）

≒ guarantee

ⓘ under warranty（保証期限内で）という表現も覚えておこう。

例 If you purchase an additional **warranty**, coverage will be extended by three years.

追加保証を購入されますと、保証期間が3年間延長されます。

章末ボキャブラリーチェック

次の語義が表す英単語を答えてください。

語義	解答	連番
❶ likely to make someone believe something that is not true	misleading	518
❷ to move an object or person in a way that is both careful and skillful	maneuver	487
❸ not changing or moving from a particular place or position	stationary	538
❹ to give information about something to the public, making it more known	publicize	541
❺ a long period of time during which there is little or no rain	drought	534
❻ the most important or respected	foremost	519
❼ having plenty of money and owning many expensive things	affluent	524
❽ the act of examining something thoroughly	scrutiny	503
❾ to combine multiple things into one thing	merge	508
❿ happening after or because of another event	ensuing	545
⓫ happening or done four times a year	quarterly	555
⓬ to cut or tear something into smaller pieces	shred	501
⓭ the feelings of enthusiasm, confidence, etc. that a group or team of people has	morale	497
⓮ a book, movie, play, etc. that is the continuation of a story previously made	sequel	499
⓯ the business of making and flying airplanes, helicopters, etc.	aviation	482
⓰ to be in charge of making sure something is done correctly	oversee	484
⓱ to use strength, influence, etc. to make something happen	exert	496
⓲ to be different from something in a way that suggests that it is false, wrong, etc.	contradict	481

語義	解答	連番
⑲ a book that someone has written about their own life	autobiography	531
⑳ very urgent and important	imperative	513
㉑ final and not able to be argued about or changed	definitive	523
㉒ the act of following rules or directions	compliance	548
㉓ a substance that is added to soil to help plants grow	fertilizer	543
㉔ not required to do something that others must do	exempt	549
㉕ to move away gradually	recede	559
㉖ a list of a company's employees and the amount of money that they are paid	payroll	483
㉗ to think about something carefully for a period of time	ponder	550
㉘ clothing, especially when it is sold in shops	apparel	528
㉙ strong, well-made, and not easily broken	sturdy	485
㉚ not able to be forgotten, especially because it is very good, beautiful, etc.	unforgettable	526
㉛ weighing less than usual	lightweight	546
㉜ a written set of questions that are given to multiple people to gain information	questionnaire	512
㉝ to (regularly) change the person doing a specific job to someone else in a group	rotate	488
㉞ not good; unfavorable	adverse	532
㉟ to talk and do things with other people in a friendly way	socialize	536
㊱ the failure to take care of something or someone	negligence	522
㊲ later than expected or required	overdue	494
㊳ very busy or filled with activity	hectic	544
㊴ a document that shows a list of goods or services provided and how much must be paid for them	invoice	556
㊵ having many small parts or details	intricate	558
㊶ (friendly and) liking to meet and be around others	outgoing	495

語義	解答	連番
㊷ past experience or achievements that make a person suited to do something	credential	529
㊸ to end or no longer be valid	expire	510
㊹ a painting that is painted directly onto the surface of a wall	mural	553
㊺ contact between organizations or individuals to help them communicate and work together	liaison	500
㊻ thinking about the feelings and rights of others and being kind to them	considerate	491
㊼ to heavily damage or destroy something	devastate	525
㊽ never done before	unprecedented	505
㊾ the quality that lets someone continue trying or doing something even when it is difficult or opposed	persistence	551
㊿ having a lot of space	spacious	547
51 a written agreement in which a company promises to fix or replace a product if it breaks within a certain period of time	warranty	560
52 to happen or be present again	recur	535
53 《of a job or activity》 able to bring in or make a lot of money	lucrative	517
54 to see or guess something that has not happened yet	foresee	511
55 a list of the people who belong to a particular group, team, etc.	roster	557
56 likely to cause problems or make something more difficult	unfavorable	539
57 to successfully get something, such as a job or contract	land	520
58 wanting or hoping to do a certain thing	aspiring	492
59 to save something or use it carefully to stop damage from happening	conserve	537
60 a specific amount of something that someone is expected to do or achieve	quota	486

語義	解答	連番
❻❶ a small amount of food that you eat at the beginning of a meal	appetizer	498
❻❷ a piece of paper with information on it that is given to people attending a lesson, meeting, etc.	handout	514
❻❸ to give something to someone, usually in a fixed amount	dispense	507
❻❹ having high value or being very useful	invaluable	502
❻❺ next to, nearby, or connected to something	adjacent	521
❻❻ a person who directs people to their seats at an event, such as a wedding or play	usher	542
❻❼ seeming to be possible or true	plausible	527
❻❽ to describe events in the order that they happened	chronicle	490
❻❾ the pieces remaining after something is damaged in an explosion, natural disaster, etc.	debris	509
❼⓿ to reach the end of something	culminate	540
❼❶ no longer used because it has been replaced by something newer and better	obsolete	552
❼❷ a regularly published magazine, especially one that focuses on a technical or academic subject	periodical	506
❼❸ a large room or building used for performances or public meetings	auditorium	493
❼❹ giving information	informative	516
❼❺ important enough that it should be paid attention to	noteworthy	489
❼❻ having a beautiful view of natural scenery	scenic	515
❼❼ the state of being close to someone or something	proximity	533
❼❽ expressed very clearly so that there is little or no room for doubt	explicit	504
❼❾ to send out someone or something for a specific reason	deploy	530
❽⓿ a person whose job is to direct or manage a place, organization, etc.	superintendent	554

言い換えのパターン：上位語と下位語

今度は「上位語」と「下位語」を使う場合です。例えば、truck（トラック）、train（電車）のような具体的な事物は、vehicle（乗り物）という上位概念の語で言い換えることができます。

footwear（履き物）⇔
- **boots**（ブーツ）
- **loafers**（ローファー）
- **sandals**（サンダル）
- **running shoes**（ランニングシューズ）

vessel（船舶）⇔
- **cruise ship**（クルーズ船）
- **boat**（ボート、船）
- **yacht**（ヨット）
- **ferry**（フェリー）

artwork（芸術品）⇔
- **sculptures**（彫刻）
- **paintings**（絵画）
- **photos**（写真）
- **calligraphy**（書）
- **pottery**（陶磁器）

event（イベント） ⇔

music festival（音楽フェス）
concert（コンサート）
charity drive（慈善募金活動）
conference（会議）
trade show（展示会）
convention（大会）
job [career] fair（就職説明会）
awards ceremony（授賞式）
workshop（研修会、ワークショップ）

document（文書） ⇔

résumé（履歴書）
application form（申込書）
file（ファイル）
manuscript（原稿）
contract（契約書）
handout（プリント）
flyer（チラシ）

furniture（家具） ⇔

table（テーブル）
bed（ベッド）
sofa / couch（ソファー）
armchair（ひじかけ椅子）
cupboard（食器棚）
wardrobe（たんす、ワードローブ）
cabinet（飾り戸棚、キャビネット）

Stage 8

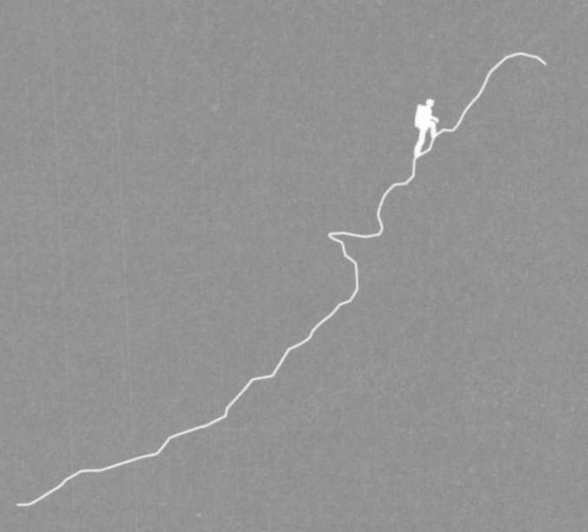

Rome wasn't built in a day.
ローマは一日にして成らず。

□□□ 561

rehearse

/ rɪhə́ːrs /

名 rehearsal 予行演習、リハーサル

動 to practice a performance of a play, concert, etc. to make sure it is ready for the public to see

リハーサルをする

ⓘ「(プレゼンなどの) 事前練習をする」という意味でも使う。

例 They were only given two weeks to **rehearse** for the ballet performance.

彼らはバレエ公演のリハーサルをするのに2週間しか与えられなかった。

□□□ 562

robust

/ roʊbʌ́st | rəʊ- /

副 robustly 頑丈に

形 strong or impressive, and not likely to become weak and fail

強力な、堅固な

≒ healthy, sturdy

例 The **robust** company should be able to survive an economic downturn.

その堅調な企業なら、景気の落ち込みも乗り切れるはずだ。

□□□ 563

adhere

/ ædhíər | əd- /

名 adhesion 粘着
名 adhesive 接着剤

動 ① to act in the way that a rule or something else says to

(規則・約束などに) 忠実に従う

≒ follow, comply, observe

⇔ disregard, ignore, disobey

〈ad- (～に) +here (付着する)〉

例 Students are asked to **adhere** to the provided schedule while attending this camp.

学生はこのキャンプに参加する間、提供されたスケジュールを順守するよう求められる。

② to stick to another thing

くっつく、付着する

≒ attach ⇔ detach, come off

例 Please be sure that the wall is clean and dry so the sticker properly **adheres** to it.

ステッカーがきちんとくっつくように、壁がきれいで乾燥していることを確認してください。

564

courteous

/ kə́ːrtiəs /

副 courteously 礼儀正しく
名 courtesy 礼儀正しさ

形 **polite and showing respect**

礼儀正しい、丁寧な

⇔ impolite, rude

〈courte(宮廷)+-ous(満ちた)〉

例 The server was **courteous** and quickly responded to all of our needs.

その給仕は礼儀正しく、私たちのどんなニーズにもてきぱきと対応した。

565

safeguard

/ séɪfgɑ̀ːrd /

動 **to protect someone or something from damage**

〜を保護する、守る

≒ defend

例 As lawyers, it is our responsibility to **safeguard** our clients' personal information at all costs.

クライアントの個人情報をどんなことがあっても保護することは、弁護士として、私たちの責任です。

566

interactive

/ ìntəræ̃ktɪv /

形 **designed to respond to the actions of a person**

双方向的な、対話式の

例 The company is replacing its educational videos with more **interactive** teaching programs.

その会社は、教育ビデオをより双方向的な教育プログラムに置き換えている。

567

courier

/ kə́ːriər | kʊ́- /

名 **a person or company that carries messages, packages, etc., from one person or place to another**

（小包などの）配達人、配達業者

≒ messenger, carrier

例 We ship our products using the fastest and most reliable **courier** company available.

私たちは、利用可能な最も速くて信頼できる宅配会社を使って製品を出荷します。

□□□ 568

crate

/ kréɪt /

名 **a large box made of wood or plastic that is used to carry goods**

（運搬用の）木箱、プラスチックケース

例 Every morning, several **crates** of vegetables arrive at the supermarket.

毎朝、何箱かの野菜がスーパーマーケットに到着する。

□□□ 569

shortcoming

/ ʃɔ́ːrtkʌ̀mɪŋ /

名 **a fault or weakness that makes someone or something worse than they should be**

欠点、短所

≒ imperfection

例 Despite the film's **shortcomings**, it still managed to be a success among viewers.

その映画には欠点もあったが、それでも視聴者の間で成功を収めた。

□□□ 570

invigorate

/ ɪnvígərèɪt /

形 invigorating 〈天候・運動などが〉元気づけるような

動 **to cause something to be more lively, active, or successful**

～を活性化する

≒ vitalize

〈in-（中に）+vigor（元気）+-ate（動詞）〉

例 The president hopes to **invigorate** the organization with new family-first policies.

社長は、新たな家族第一の方針で組織を活性化したいと考えている。

□□□ 571

novice

/ nɑ́ːvəs | nɔ́v- /

名 **a beginner at something**

初心者

≒ amateur

⇔ expert

例 Our business focuses on offering **novice** welders the chance to perfect their craft.

当社は、初心者の溶接工に技術を完成させる機会を提供することを専門にしている。

□□□ 572

designate

/ dézɪgnèɪt /

名 designation 指定、任命

動 to officially choose someone or something for a purpose

～を指定する、指名する

≒ nominate

ⓘ designと違い、gを発音する。designated area（指定された区域）といった使い方も覚えておこう。

例 After their star player's injury, the team needed to **designate** a new captain.

スター選手のけがのあと、チームは新しいキャプテンを指名しなければならなかった。

□□□ 573

pave

/ péɪv /

名 pavement 舗装
名 paving 舗装（工事）

動 to cover the ground with something that makes it level and easy to walk or drive on

～を舗装する

ⓘ repave（～を舗装し直す）という語も覚えておこう。

例 The total cost of **paving** our parking lot far exceeds our budget.

駐車場を舗装するのにかかる総費用は予算をはるかに上回っている。

□□□ 574

articulate

/ 動 ɑːrtíkjəlèɪt 形 ɑːrtíkjələt /

名 articulation 明瞭な発音

動 to clearly and effectively express something, such as an idea or a feeling, in words

～を明確に述べる

例 It took Audrey some time to properly **articulate** her ideas for the next marketing campaign.

Audreyは次の販売キャンペーンのアイデアをうまく伝えるのに少し時間がかかった。

形 capable of clearly and effectively expressing ideas in speech or writing

はっきりものを言う、歯切れのよい

≒ well-spoken, eloquent

例 The novice actor has a reputation for being quite **articulate**.

その新人俳優はとても歯切れがいいという評判だ。

□□□ 575

interim

/ íntərim /

形 **meant to be used or accepted for a limited time**

暫定の、臨時の

≒ temporary

例 We are searching for an **interim** secretary for a six-month period.

6か月間の臨時秘書を募集しています。

□□□ 576

coincide

/ kòuɪnsáɪd /

形 coincidental 偶然の
名 coincidence (偶然の) 同時発生

動 **to happen at the same time as another thing**

同時に起きる

≒ synchronize

ⓘ アクセントはcideの位置。

〈co-（共に）+incide（起こる）〉

例 This TV interview **coincides** with the release of her latest movie.

このテレビインタビューは彼女の最新映画の公開と同時に行われる。

□□□ 577

faulty

/ fɔ́:lti /

名 fault 欠陥

形 **not made or functioning properly**

〈機械などが〉欠陥のある

≒ imperfect, defective

〈faul（失敗する）+-(t)y（形容詞）〉

例 A **faulty** wire caused the stereo to be temporarily unusable.

ケーブルの欠陥のために、ステレオが一時的に使えなくなった。

□□□ 578

jeopardy

/ ʤépərdi /

動 jeopardize ～を危険にさらす

名 **《in jeopardy》 in danger of being harmed, lost, etc.**

危険にさらされて

例 They were in **jeopardy** of losing their home to the forest fire if it spread.

彼らは、山火事が広がれば家を失うという危機にあった。

579

copyright

/ ká:piràɪt | kɔ́pi- /

名 **the legal right to be the only one who can make or sell something such as a book or movie for a predetermined period of time**

著作権、版権

例 If you wish to use this photo in your book, we will have to contact the **copyright** holder for permission first.

この写真を書籍でご利用になりたいのなら、まず著作権所有者に連絡し、許可を得る必要があります。

580

breathtaking

/ bréθtèɪkɪŋ /

形 **very exciting and impressive**

息をのむような

≒ amazing

例 When Clarissa left her room on the cruise ship, she was amazed by the **breathtaking** ocean views.

Clarissaはクルーズ船の部屋を出ると、息をのむような海の景色に驚いた。

581

extinction

/ ɪkstíŋkʃən /

形 extinct 絶えた、絶滅した

名 **the situation when a type of plant or animal has completely died out**

絶滅

≒ annihilation, elimination

〈ex-（外に）+tinct（印をつける）+-ion（名詞）〉

例 Our organization is working hard to prevent the **extinction** of orangutans.

当組織は、オランウータンの絶滅を防ぐために一生懸命取り組んでいます。

582

frenzy

/ frénzi /

形 frenzied 熱狂した、狂乱した

名 **wild or uncontrolled excitement or activity**

熱狂、狂乱

例 The end-of-year sale at the department store sent all the shoppers into a buying **frenzy**.

デパートの年末セールに、買い物客たちは皆熱狂した。

□□□ 583

unoccupied

/ ʌnάːkjəpàɪd | -ɔ́k- /

形 **not being used or lived in**

〈場所・席などが〉空いている

≒ empty, vacant

⇔ occupied

〈un-（否定）+occupi（占める）+-ed〉

例 The building on the corner of Main Street has been **unoccupied** for years.

Main通りの角にある建物は、何年もの間空いている。

□□□ 584

detain

/ dɪtéɪn /

動 **to prevent someone from leaving as soon as they expected**

〈人〉を引き留める

ⓘ 「〈人〉を拘置する」という意味も一般的。

〈de-（下に）+tain（保つ）〉

例 I apologize for the delay — I was **detained** by my colleague just as I was about to leave the office.

遅れて申し訳ありません。会社を出ようとしたところで同僚につかまりました。

□□□ 585

showcase

/ ʃóʊkèɪs /

動 **to show something or someone to others in a way that makes them look very good**

～を魅力的に見せる

例 The Toilet Museum **showcases** different types of historical bathroom items.

トイレ博物館では、さまざまな種類の歴史的なバスルーム製品の魅力を引き出す展示をしている。

□□□ 586

crouch

/ kráʊtʃ /

動 **to lower your body close to the ground by bending your knees**

しゃがむ、うずくまる

≒ squat

例 She **crouched** down and picked up the plastic bottle laying next to the tree.

彼女はしゃがんで、木のわきに転がっているペットボトルを拾った。

□□□ 587

incur

/ ɪnkə́ːr /

動 **to cause oneself to experience something unpleasant**

〈負債・損害など〉を負う、こうむる

ⓘ damage incurred（発生した損害）という表現も覚えておこう。

〈in-（中に）+cur（走る）〉

例 Please be aware that all international shipments will **incur** an additional $10 insurance fee.

すべての国際便の発送には、10ドルの追加保険料が発生しますのでご注意ください。

□□□ 588

commemorate

/ kəmémərèɪt /

名 commemoration 記念
形 commemorative 記念の

動 **to do something to show that someone or something is remembered or respected**

～を祝う、記念する

≒ celebrate, memorialize

〈com-（共に）+memor（覚えている）+-ate（動詞）〉

例 To **commemorate** the 50th anniversary of our opening, every item in our store will be on sale.

開店50周年を記念して、店内の全商品が特価となります。

□□□ 589

lengthy

/ léŋkθi /

名 length 長さ
動 lengthen ～を伸ばす、長くする

形 **continuing for a long time**

長たらしい、冗長な

⇔ brief

〈leng（長い）+-th（名詞）+-y（形容詞）〉

例 After a **lengthy** discussion about investing in space tourism, they decided against it.

スペースツーリズムへの投資について長い間議論した結果、彼らは投資しないことにした。

□□□ 590

complimentary

/ kɑ̀ːmpləméntəri | kɔ́m- /

動 compliment ～を称賛する

形 **given to people for free**

無料の

ⓘ freeの言い換え語として頻出。

例 All guests staying at the Vacation Inn will receive a **complimentary** breakfast.

Vacation Innにご宿泊のすべてのお客さまには、無料の朝食がつきます。

□□□ 591

literacy

/ lítərəsi /

形 literate 読み書きができる

名 ① **the ability to read and write**

読み書きの能力

⇔ illiteracy

〈liter（文字）+-acy（名詞）〉

例 The **literacy** rate in the country is 99%.

その国の識字率は99%だ。

② **knowledge or skills in a specific area**

（特定分野に関する）技能、能力

例 In order to be hired for this position, you must first demonstrate adequate computer **literacy**.

この職に就くには、まず十分なコンピュータの技能があることを証明する必要があります。

□□□ 592

susceptible

/ səséptəbl /

名 susceptibility 影響されやすいこと

形 **likely to be influenced or affected by an illness, problem, etc.**

影響されやすい、感染しやすい

≒ prone, vulnerable

⇔ invulnerable, resistant

〈sus-（下に）+cept（つかむ）+-ible（できる）〉

例 Research shows that certain people are more **susceptible** to heart trouble because of their genetics.

特定の人々は遺伝的要因のために心臓のトラブルにかかりやすいことが研究でわかっている。

□□□ 593

archive

/ ɑ́ːrkaɪv /

名 **a place where a large number of historical records are kept**

文書保管所

ⓘ chiの発音に注意。「（保管された）文書、記録」という意味や、「～をアーカイブに保管する」という動詞の意味もある。

例 Members of the ancestry research Web site can access digital copies of documents from **archives** across the country.

その家系調査ウェブサイトの会員は、全国のアーカイブにある文書のデジタルコピーにアクセスできる。

□□□ 594

approximate

/ əprɑ́:ksəmət | -prɔ́ks- /

副 approximately およそ
名 approximation 概算、推定

形 not exact but close to the correct number or amount

概算の

≒ rough

ⓘ「〜を概算する」という動詞の意味もある。発音は/-mèɪt/。

〈ap-（〜に）+proxim（近く）+-ate（形容詞）〉

例 The **approximate** cost of producing this movie is $5 million.

この映画の制作にかかるおおよその費用は500万ドルだ。

□□□ 595

vibrant

/ váɪbrənt /

形 full of life and energy, especially in a way that is exciting or attractive

活気に満ちた

≒ lively

例 Barcelona is one of the world's most **vibrant** cities.

バルセロナは、世界で最も活気のある都市の一つだ。

□□□ 596

tenure

/ ténjər /

形 tenured〈大学教員などが〉終身在職権のある

名 the period of time someone has a job

在職期間

〈ten（保つ）+-ure（名詞）〉

例 During her **tenure** as a physics professor, she taught some of the world's greatest minds.

物理学の教授としての在職期間中、彼女は世界で最も優れた知性の何人かを教えた。

□□□ 597

dismantle

/ dɪsmǽntl /

名 dismantlement 分解、解体

動 to take something apart, usually a machine or structure of some kind

〈機械など〉を分解する、解体する

≒ disassemble

例 At the end of the concert, it took dozens of people to **dismantle** the stage.

コンサートの終わりに、ステージを解体するのに何十人もの人が必要だった。

□□□ 598

stockroom

/ stá:krù:m | stɔ́k- /

名 a room in a shop or office used for storing things

（商店などの）商品倉庫

≒ storeroom

例 Gary's Toy Shop always keeps their extra inventory in the **stockroom**.

Gary's玩具店は常に、倉庫に余分な在庫を保管している。

□□□ 599

endangered

/ ɪndéɪnʤərd /

動 endanger ～を危険にさらす

形 ((of a plant or animal)) very rare and in danger of disappearing completely

（絶滅の）危機に瀕した

≒ threatened, at risk

〈en-（～にする）+danger（危機）+-ed〉

ⓘ endangered language（絶滅の危機に瀕した言語）のように生き物以外にも使う。

例 Grey's Animal Sanctuary is dedicated to protecting the lives of **endangered** animals that cannot live in the wild.

Grey's動物保護区域は、野生で生きられない絶滅危惧種の動物の命を守ることに従事している。

□□□ 600

installment

/ ɪnstɔ́:lmənt /

名 ① one of a number of payments made in order to completely pay for something

（分割払いの）１回分

ⓘ installation（設置、取り付け）と混同しないように注意。イギリス英語ではinstalmentとつづる。

例 It is possible to pay for our jewelry in interest-free **installments**.

当店の宝石は、無利子分割払いもご利用になれます。

② one of the parts of a series, such as a book or TV show

（連載ものの）１回分

例 The next **installment** in Erin Carter's fantasy series will be released early next year.

Erin Carterのファンタジーシリーズの続巻は来年初めに発表される。

601
gala
/ gǽlə | gɑ́ː- /

名 **a special public party or celebration**

にぎやかな催し、祝祭

ⓘ festivities（祝いの行事、宴会）という語も覚えておこう。

例 The mayor opened the fundraiser **gala** with great fanfare.

市長は盛大なファンファーレと共に募金のための催しを開会した。

602
ratify
/ rǽtəfàɪ /

名 ratification 批准

動 **to make an agreement official by signing it**

〈条約・協定〉を批准する、承認する

例 The governments of several countries have agreed to **ratify** the Save the Animals agreement.

いくつかの国の政府は、動物救済協定を批准することに同意した。

603
necessitate
/ nəsésətèɪt /

形 necessary 必要な
名 necessity 必要性

動 **to make it necessary for something to be done**

～を必要とする、余儀なくさせる

≒ require

〈ne-（否定）+cess（譲る）+ -itate（動詞）〉

例 The marathon runner's ankle injury **necessitated** that she take several weeks off from training.

そのマラソンランナーは、足首の負傷のために何週間かトレーニングを休まなければならなくなった。

604
beneficiary
/ bènəfíʃièri | -ʃəri /

名 **a person, organization, etc. that is helped by something, such as funding**

受益者

≒ recipient

ⓘ 「（相続などの）受取人」という意味もある。

例 Large corporations were the main **beneficiaries** of the new tax laws.

大企業が新しい税法の主な受益者だった。

□□□ 605

anecdote

/ ǽnɪkdòʊt /

形 anecdotal 逸話の（ような）

名 **a funny or interesting short story about a real person or event**

逸話

ⓘ アクセントはaの位置。

例 In order to keep the dinner interesting, the host told **anecdotes** about his workplace.

夕食を面白いものにするために、主人は自分の職場についての話をした。

□□□ 606

offset

/ ɔ́(:)fsèt | ɔ́f- /

動 **to balance the effects of something else**

～を相殺する

≒ counteract, neutralize

ⓘ offset-offset-offsetと活用する。

例 In order to **offset** the cost of developing this software, we have canceled some other projects.

このソフトウェアの開発コストを相殺するため、私たちは他のいくつかのプロジェクトを中止した。

□□□ 607

replica

/ réplɪkə /

動 replicate ～を複製する

名 **a very good copy of something**

模造品、複製

≒ imitation

例 Hank's Design specializes in making **replicas** of Victorian-style furniture.

Hank's Designは、ビクトリア朝様式の家具の複製品を作ることを専門としている。

□□□ 608

bestow

/ bɪstóʊ /

名 bestowal 授与、贈り物

動 **to give something valuable or important to someone**

〈名誉・賞など〉を授ける

≒ confer, grant

ⓘ 資産、名誉ある権利、賞などの進呈に使われることが多い。

例 The McDougal Prize is the highest honor that can be **bestowed** upon a fiction author.

McDougal賞は、フィクション作家に授与されるものとしては最高の栄誉だ。

609

indispensable

/ ìndɪspénsəbl /

形 **so important that it is impossible to manage without**

必要不可欠な、必須の

名 indispensability 不可欠なこと、絶対に必要なこと

≒ vital, crucial

⇔ nonessential

例 Artificial intelligence has been **indispensable** in our attempts to create a nearly flawless security system.

ほとんど欠点のないセキュリティシステムを構築する私たちの試みに、AIは欠かせなかった。

610

align

/ əláɪn /

動 **to arrange things so that they are in a line or in the proper position**

〜を一列に並べる

≒ line up

例 All floor staff are asked to make sure our products are neatly **aligned** on the shelves.

すべてのフロアスタッフは、当社の製品が棚にきちんと並べられているようにしてください。

611

unveil

/ ʌnvéɪl /

動 **to show or tell people about something new for the first time**

〜を公表する、発表する

≒ reveal, disclose

〈un-（反対）+veil（覆う）〉

例 Sally's Horse Ranch recently **unveiled** its new summer program for kids.

Sally's馬牧場は最近、新しい子ども向けサマープログラムを発表した。

612

shareholder

/ ʃéərhòʊldər /

名 **someone who owns shares in a business**

株主

≒ stockholder

ⓘ「株」はshareと言う。

例 Our major **shareholders** will have to be consulted before we proceed with this merger.

この合併を進める前に、大株主に諮る必要がある。

□□□ 613

deteriorate

/ dɪtíəriərèɪt /

名 deterioration 悪化

動 **to get worse over time**

悪化する

≒ degenerate

例 Communication between team members **deteriorated** after we implemented our work-from-home policy.

在宅勤務の方策を実施したあと、チームメンバー間の意思疎通は悪化した。

□□□ 614

itinerary

/ aɪtínərèri | -nərəri /

名 **a plan for a journey, including a list of the places to be visited**

旅程（表）、旅行計画

例 Their five-day trip to Mongolia had a very busy **itinerary**.

彼らのモンゴルへの5日間の旅行は、とても忙しい旅程だった。

□□□ 615

stringent

/ stríndʒənt /

副 stringently 厳しく
名 stringency（規則などの）厳しさ、厳格さ

形 **strict and severe**

〈規則などが〉厳しい

≒ rigorous

⇔ flexible

〈string（張る）+-ent（形容詞）〉

例 New **stringent** safety measures have led to a reduction in workplace injuries.

新しい厳格な安全対策は、職場でのけがの減少につながった。

□□□ 616

engrave

/ ɪngréɪv /

動 **to carve lines into a surface, especially letters, words, designs, etc.**

〈文字・模様など〉を刻む、彫る

≒ inscribe

〈en-（中に）+grave（刻む）〉

例 All silver items sold at our shop can be **engraved** with short messages for a small fee.

当店で販売しているどの銀製品にも、少額で短いメッセージをお彫りします。

617

culinary

/ kʌ́lənèri | -ɪnəri /

形 **related to cooking**

料理（用）の

ⓘ culinary school（料理学校）という表現も覚えておこう。

例 Cathy Ramsay is renowned in the **culinary** world for her talent.

Cathy Ramsayは、その才能で料理界で有名だ。

618

contingency

/ kəntíndʒənsi /

形 contingent 偶発の

名 **a possible future event, especially a potential emergency**

不測の事態

例 It is our job to prepare for any **contingencies** that may cause problems at the upcoming music festival.

来たる音楽祭で問題になる可能性のあるあらゆる不測の事態に備えることが、私たちの仕事だ。

619

pertinent

/ pə́ːrtənənt /

形 **relating to what is being thought about or discussed**

関係がある、関連する

≒ relevant

⇔ irrelevant

〈per-（完全に）+tin（保つ）+-ent（形容詞）〉

例 We request that any information you feel **pertinent** to our next ad campaign be brought up in this meeting.

次回の広告キャンペーンに関連しそうな情報があれば、この会議で提示してください。

620

discontinue

/ dìskəntínjuː /

動 **to stop doing or end something**

～をやめる、停止する

≒ halt

⇔ continue

〈dis-（否定）+continue（続ける）〉

例 Francis Electronics **discontinued** production of their cheapest digital camera late last year.

Francis Electronicsは昨年末、最も安価なデジタルカメラの生産を中止した。

□□□ 621

commend

/ kəménd /

形 commendable 称賛に値する
名 commendation 称賛

動 to praise something or someone

～を称賛する、推奨する

≒ compliment, laud

⇔ criticize

例 Ms. Bent was **commended** for her honesty after pointing out the billing error.

Bentさんは請求の誤りを指摘し、その正直さを称賛された。

□□□ 622

accrue

/ əkrú: /

動 to allow something to gradually increase in value or amount over a period of time

～をためる、蓄積する

≒ accumulate

例 Once you **accrue** 20 points, you can receive a coffee free of charge.

20ポイントためると、無料でコーヒーがもらえます。

□□□ 623

reportedly

/ rɪpɔ́:rtɪdli /

副 according to what some people say

伝えられるところでは

≒ purportedly, supposedly

例 A moose was **reportedly** spotted walking through town this morning.

伝えられるところによると、今朝町を歩いているヘラジカが発見された。

□□□ 624

discrepancy

/ dɪskrépənsi /

名 a difference between things which should be the same

不一致、食い違い

≒ disagreement, inconsistency

例 If there is any **discrepancy** in your invoice, please contact us within 14 days so that we can correct it for you.

請求書に不備がある場合は、14日以内にご連絡ください。修正させていただきます。

□□□ 625

gadget

/ gǽdʒɪt /

名 **a small tool or device, especially one that is useful or cleverly designed**

（便利な）道具、装置

≒ gizmo

例 The shop sells all kinds of electronic **gadgets**, from hair straighteners to digital cameras.

その店では、ストレートヘアアイロンからデジタルカメラに至るまで、あらゆる種類の電子機器を販売している。

□□□ 626

spokesperson

/ spóukspə̀ːrsn /

名 **a person whose job is to speak on behalf of a group or organization**

広報担当者

例 Please refer all questions to our company **spokesperson**.

ご質問はすべて、当社の広報担当者にお問い合わせください。

□□□ 627

inadvertently

/ ìnədvə́ːrtəntli /

形 inadvertent うっかりした、不注意な
名 inadvertence 不注意

副 **not intentionally, and without realizing what you are doing**

うっかり、不注意にも

≒ accidentally, unintentionally, mistakenly

例 It appears that your name was **inadvertently** removed from the guest list.

あなたの名前が誤って来賓名簿から削除されたようです。

□□□ 628

ventilation

/ vèntəléɪʃən /

名 vent 通気口
動 ventilate 〈部屋・建物など〉を換気する

名 **the movement of fresh air in a room or building, or the system that makes this happen**

換気

〈ventil（風）+-ation（名詞）〉

例 The school board has decided to install a new **ventilation** system in the elementary school.

教育委員会は、その小学校に新しい換気システムを設置することを決定した。

□□□ 629

unconventional

/ ʌ̀nkənvénʃənl /

形 **different from what is usually expected**

型にはまらない、変わった

≒ unorthodox

⇔ conventional

〈un-（否定）+con-（共に）+vent（来る）+-ional（形容詞）〉

例 Our **unconventional** marketing methods have allowed our company to grow exponentially.

型破りなマーケティング手法のおかげで、わが社は飛躍的に成長した。

□□□ 630

refurbish

/ rɪfə́ːrbɪʃ /

名 refurbishment 改装、改修

動 **to repair or decorate something to improve it**

～を改装する､改修する

≒ renovate

例 Sal's Furniture specializes in **refurbishing** early 20th century furniture.

Sal's Furnitureは20世紀初頭の家具の改修を専門としている。

□□□ 631

misplace

/ mɪ̀spléɪs /

動 **to lose something, especially for a short time**

～の置き場所を誤る、～を置き忘れる

〈mis-（誤って）+place（置く）〉

例 We charge a $20 replacement fee in the event that you **misplace** the key to the apartment.

アパートの鍵を紛失した場合、20ドルの交換料金を請求します。

□□□ 632

botanical

/ bətǽnɪkl /

名 botany 植物学

形 **relating to plants or the scientific study of them**

植物の

例 The university **botanical** garden is open to the public during the summer.

大学の植物園は夏の間、一般に公開される。

□□□ 633

wage

/ wéɪʤ /

動 **to start or continue a war, conflict, etc.**

〈戦争・運動など〉を行う

≒ conduct

例 The group is **waging** a campaign to protect local forests from illegal logging.

その団体は、地元の森林を違法伐採から保護するキャンペーンを行っている。

名 **the money you earn based on the amount of work you have done for a job**

賃金

例 **Wages** at the glass factory have not increased in years.

そのガラス工場の賃金はここ数年上昇していない。

□□□ 634

impending

/ ɪmpéndɪŋ /

形 **happening soon**

〈危険などが〉差し迫った

≒ approaching, imminent

⇔ distant

ⓘ 好ましくないものについて使われることが多い。

例 **Impending** budget cuts to the medical system will cause an increase in ambulance wait times.

間近に迫った医療システムの予算削減は、救急車の待ち時間の増加を引き起こすだろう。

□□□ 635

requisite

/ rékwəzɪt /

名 **something that you need for a specific purpose**

必需品、必要条件

≒ requirement

ⓘ 「必要な、必須の」という形容詞の意味もある。

〈re-(再び)+quis(求める)+-ite(形容詞)〉

例 A working knowledge of Arabic is a **requisite** to join this course.

このコースに参加するには、アラビア語の実用的な知識が必要です。

□□□ 636

acclimate

/ ǽkləmèɪt /

動 **to get used to a new place or situation**

（新しい環境などに）慣れる

≒ adjust

例 It took Jocylene a few weeks to **acclimate** to her new job in the finance sector.

Jocyleneは、金融部門での新しい仕事に順応するのに数週間かかった。

□□□ 637

assorted

/ əsɔ́ːrtɪd /

形 **of multiple different types**

さまざまな種類の、詰め合わせの

〈as-（～に）+sort（分かち合う）+-ed〉

例 The gift basket included a beautifully packaged selection of **assorted** chocolates.

ギフトバスケットには、美しく包装されたチョコレートの詰め合わせが入っていた。

□□□ 638

vicinity

/ vɪsínəti /

名 **the area around a particular place**

近所、付近

≒ neighborhood, proximity

例 There are several affordable restaurants in the **vicinity** of our office.

私たちの会社の近くにはいくつか手ごろな値段のレストランがある。

□□□ 639

sanitary

/ sǽnətèri | -təri /

名 sanitation 公衆衛生

形 **relating to cleanliness, especially to promote good health**

衛生の、衛生的な

≒ hygienic

〈sani（健康な）+-(t)ary（形容詞）〉

ⓘ 名詞の前で使う。hygiene（衛生状態）という語も覚えておこう。

例 The strictest of **sanitary** regulations must be observed if you wish to enter our research lab.

当研究所に立ち入りたければ、非常に厳しい衛生規則を遵守していただかなければなりません。

□□□ 640

affiliate

/ 名 əfíliət 動 əfílièɪt /

名 affiliation 提携
形 affiliated 付属の

名 an organization that is connected to or controlled by another larger one

支部、支社

〈af-（～に）+fili（子ども）+ -ate（動詞）〉

例 Two of the TV network's regional **affiliates** have had to close in the past year.

そのテレビ網の2つの地域支局が、この1年で閉鎖に追い込まれた。

動 to closely connect something (or yourself) to something or someone else

～を提携させる

≒ associate

例 That streaming platform is **affiliated** with some of the largest broadcasters in the country.

そのストリーミングプラットフォームは、国内最大の放送局のいくつかと提携している。

章末ボキャブラリーチェック

次の語義が表す英単語を答えてください。

語義	解答	連番
❶ designed to respond to the actions of a person	interactive	566
❷ strict and severe	stringent	615
❸ very exciting and impressive	breathtaking	580
❹ continuing for a long time	lengthy	589
❺ a funny or interesting short story about a real person or event	anecdote	605
❻ happening soon	impending	634
❼ the ability to read and write	literacy	591
❽ relating to plants or the scientific study of them	botanical	632
❾ a fault or weakness that makes someone or something worse than they should be	shortcoming	569
❿ to cover the ground with something that makes it level and easy to walk or drive on	pave	573
⓫ to do something to show that someone or something is remembered or respected	commemorate	588
⓬ strong or impressive, and not likely to become weak and fail	robust	562
⓭ to get used to a new place or situation	acclimate	636
⓮ of multiple different types	assorted	637
⓯ according to what some people say	reportedly	623
⓰ not made or functioning properly	faulty	577
⓱ the movement of fresh air in a room or building, or the system that makes this happen	ventilation	628
⓲ to protect someone or something from damage	safeguard	565
⓳ a person, organization, etc. that is helped by something, such as funding	beneficiary	604
⓴ to carve lines into a surface, especially letters, words, designs, etc.	engrave	616
㉑ someone who owns shares in a business	shareholder	612

語義	解答	連番
㉒ polite and showing respect	courteous	564
㉓ relating to cleanliness, especially to promote good health	sanitary	639
㉔ to show or tell people about something new for the first time	unveil	611
㉕ to start or continue a war, conflict, etc.	wage	633
㉖ to lose something, especially for a short time	misplace	631
㉗ to allow something to gradually increase in value or amount over a period of time	accrue	622
㉘ to happen at the same time as another thing	coincide	576
㉙ a possible future event, especially a potential emergency	contingency	618
㉚ to make an agreement official by signing it	ratify	602
㉛ so important that it is impossible to manage without	indispensable	609
㉜ the area around a particular place	vicinity	638
㉝ likely to be influenced or affected by an illness, problem, etc.	susceptible	592
㉞ meant to be used or accepted for a limited time	interim	575
㉟ to show something or someone to others in a way that makes them look very good	showcase	585
㊱ the situation when a type of plant or animal has completely died out	extinction	581
㊲ related to cooking	culinary	617
㊳ to repair or decorate something to improve it	refurbish	630
㊴ not exact but close to the correct number or amount	approximate	594
㊵ 《in --------》 in danger of being harmed, lost, etc.	jeopardy	578
㊶ wild or uncontrolled excitement or activity	frenzy	582
㊷ a difference between things which should be the same	discrepancy	624
㊸ a special public party or celebration	gala	601

語義	解答	連番
㊹ 《of a plant or animal》 very rare and in danger of disappearing completely	endangered	599
㊺ to praise something or someone	commend	621
㊻ a person whose job is to speak on behalf of a group or organization	spokesperson	626
㊼ to stop doing or end something	discontinue	620
㊽ to give something valuable or important to someone	bestow	608
㊾ to cause something to be more lively, active, or successful	invigorate	570
㊿ to arrange things so that they are in a line or in the proper position	align	610
51 a plan for a journey, including a list of the places to be visited	itinerary	614
52 to clearly and effectively express something, such as an idea or a feeling, in words	articulate	574
53 the period of time someone has a job	tenure	596
54 not intentionally, and without realizing what you are doing	inadvertently	627
55 relating to what is being thought about or discussed	pertinent	619
56 a beginner at something	novice	571
57 something that you need for a specific purpose	requisite	635
58 to cause oneself to experience something unpleasant	incur	587
59 to officially choose someone or something for a purpose	designate	572
60 a place where a large number of historical records are kept	archive	593
61 full of life and energy, especially in a way that is exciting or attractive	vibrant	595
62 given to people for free	complimentary	590
63 to practice a performance of a play, concert, etc. to make sure it is ready for the public to see	rehearse	561

語義	解答	連番
(64) not being used or lived in	unoccupied	583
(65) to prevent someone from leaving as soon as they expected	detain	584
(66) to act in the way that a rule or something else says to	adhere	563
(67) to balance the effects of something else	offset	606
(68) different from what is usually expected	unconventional	629
(69) to lower your body close to the ground by bending your knees	crouch	586
(70) a large box made of wood or plastic that is used to carry goods	crate	568
(71) to make it necessary for something to be done	necessitate	603
(72) a very good copy of something	replica	607
(73) a room in a shop or office used for storing things	stockroom	598
(74) the legal right to be the only one who can make or sell something such as a book or movie for a predetermined period of time	copyright	579
(75) to get worse over time	deteriorate	613
(76) a small tool or device, especially one that is useful or cleverly designed	gadget	625
(77) one of a number of payments made in order to completely pay for something	installment	600
(78) an organization that is connected to or controlled by another larger one	affiliate	640
(79) a person or company that carries messages, packages, etc., from one person or place to another	courier	567
(80) to take something apart, usually a machine or structure of some kind	dismantle	597

スコア990への道 08

言い換えのパターン：説明する

最後に説明的な言い換えを取り上げます。例えば、hotel（ホテル）をplace to stay（滞在する場所）のように表現する場合です。本書で英語による定義を身につけておけば、こうした言い換えにも無理なく対処できるでしょう。

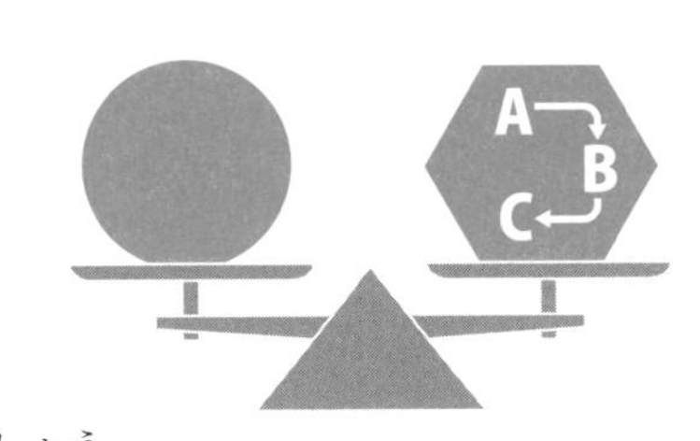

名詞

- □ **flower shop**（生花店）⇔ **stores that sells flowers**（花を売る店）
- □ **free admission**（入場無料）⇔ **no entrance fee is charged**（入場料が課されない）
- □ **security deposit**（保証金）⇔ **pay some money before moving in**（入居前にお金を払う）
- □ **the most popular printer**（最も人気の高いプリンター）⇔ **the printer that are sold the most**（最も売れているプリンター）

動詞／副詞

- □ **sell**（売っている）⇔ **be available for purchase**（購入できる）
- □ **cater**（仕出しをする）⇔ **provide food and drinks**（食べ物や飲み物を提供する）
- □ **reschedule**（スケジュールを変える）⇔ **change the reservation date**（予約日を変更する）
- □ **overlook the ocean**（海を見下ろす）⇔ **have a view of the ocean**（海が見渡せる）
- □ **ahead of schedule**（予定よりも早く）⇔ **earlier than they had planned**（予定していたよりも早く）

Stage 9

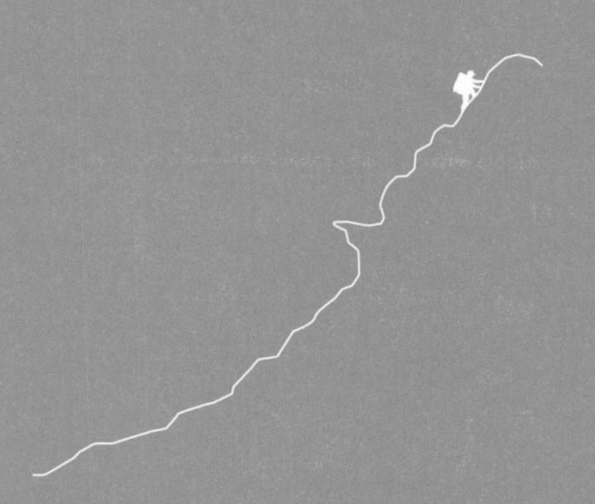

Put your best foot forward.
ベストを尽くせ。

□□□ 641

demographic

/ dèməgrǽfɪk | -əʊ- /

名 demography 人口統計学

名 **a group of people that shares a certain characteristic, such as age or ethnicity**

（一群の人々から成る）層

ⓘ「人口統計学の」という形容詞の意味もある。

例 These new portable radios appeal to an older **demographic** because of their nostalgic design.

これらの新しい携帯ラジオは、懐かしいデザインで高齢者層に訴求する。

□□□ 642

aptitude

/ ǽptət(j)ù:d /

形 apt 傾向がある
副 aptly 適切に、ぴったりと

名 **natural ability to do or learn something**

才能、素質、適性

≒ propensity, knack

〈apt（適した）+-itude（名詞）〉

例 We measure all applicants' **aptitude** for the job through a short computerized test.

私たちは、コンピュータによる短いテストによって、すべての応募者の仕事への適性を測定します。

□□□ 643

decor

/ deɪkɔ́:r | déɪkɔ: /

名 **the way the inside of a building or room is decorated**

内装、飾りつけ

例 People regularly visit the historic building to experience a taste of Victorian **decor**.

人々は定期的にその歴史的な建物を訪れ、ビクトリア朝の装飾の風情を体験します。

□□□ 644

consecutive

/ kənsékjətɪv /

副 consecutively 連続して

形 **coming one after another without interruption**

連続した

≒ successive, serial, in a row

例 Sales at the company dropped for three **consecutive** months before jumping with the release of their new doll.

3か月連続で売上を落としたあと、同社は新しい人形の発売で飛躍した。

□□□ 645

humid

/ hjúːmɪd /

名 humidity 湿気、湿度

形 **having a lot of moisture in the air**

湿気の多い

≒ moist ⇔ dry

例 Our agency recommends individuals traveling to **humid** areas pack breathable clothing that dries quickly.

当代理店では、湿度の高い地域に旅行される方には、すぐ乾く通気性のある衣類を詰めることをお勧めします。

□□□ 646

compile

/ kəmpáɪl /

名 compilation 編集(物)

動 **to make a collection from various parts**

〈本など〉をまとめる、編集する

≒ collect, assemble

例 Having **compiled** all the relevant data, we can now proceed with making the Web site more user-friendly.

関連するすべてのデータをまとめたので、ウェブサイトをユーザーフレンドリーにする作業に取りかかれる。

□□□ 647

itemize

/ áɪtəmàɪz /

名 item 商品、品目、項目

動 **to make a detailed list of things**

～を項目別にする

ⓘ イギリス英語ではitemiseともつづる。

例 Please submit an **itemized** list of your expenses to HR by Friday.

金曜日までに経費の明細リストを人事部に提出してください。

□□□ 648

concur

/ kənkə́ːr /

形 concurrent 同時に起こる
名 concurrence 意見の一致、同意

動 **to agree with someone or have the same opinion as them**

同意見である、一致する

⇔ disagree

〈con-(共に)+cur(走る)〉

例 The authors of the different cancer studies **concurred** that early detection was vital to good outcomes.

さまざまながん研究の著者たちは、早期発見が良好な結果に不可欠であることで意見が一致した。

□□□ 649

turnout

/ tə́ːrnàʊt /

名 **the number of people who go to an event**

人出、出席者数、来場者数

≒ attendance

例 The **turnout** for the company party was much larger than expected.

会社のパーティーの参加者は予想よりはるかに多かった。

□□□ 650

discriminating

/ dɪskrímənèɪtɪŋ /

動 discriminate ～を識別する
名 discrimination 区別、識別

形 **able to judge the quality of something**

目の肥えた、識別力のある

例 The fans of the singer became more **discriminating** the older they got.

その歌手のファンたちは、年を重ねるにつれて耳が肥えていった。

□□□ 651

concise

/ kənsáɪs /

副 concisely 簡潔に

形 **using only the amount of words needed**

簡潔な

≒ short, compact

⇔ lengthy, wordy

ⓘ アクセントはciseの位置。

〈con-（完全に）+cise（切る）〉

例 Please include a **concise** explanation of why you are a good fit for this role in your application.

あなたがこの職に適している理由を応募書類で簡潔に説明してください。

□□□ 652

detach

/ dɪtǽtʃ /

名 detachment 分離

動 **to separate something from another thing**

～を取り外す、分離する

≒ disconnect

⇔ attach, connect

ⓘ detach A from B（AをBから取り外す）の形も押さえておこう。

〈de-（離れて）+tach（触る）〉

例 This winter jacket has become quite popular because the hood can be **detached**.

この冬物のジャケットはフードが外せるので人気になった。

□□□ 653

walkway

/ wɔ́:kwèɪ /

名 **a path for walking, often one outdoors and raised above the ground**

歩道、通路

≒ pathway

例 The **walkway** from the back door of the hotel to the pool is made of stone.

ホテルの裏口からプールまでの通路は石でできている。

□□□ 654

curator

/ kjʊ́ərèɪtər | kjuəréɪtə /

名 **someone who is in charge of the things in a museum, zoo, etc.**

（博物館・美術館などの）学芸員

例 After she finished school, Linda became a **curator** at the largest museum in her city.

学校を卒業したあと、リンダは市最大の美術館の学芸員になった。

□□□ 655

repel

/ rɪpél /

動 **to keep someone or something away**

～を寄せ付けない、遠ざける

≒ ward off

〈re-（後ろに）+pel（追う）〉

例 The shape of this special windshield **repels** insects, which keeps it cleaner.

この特殊なフロントガラスの形状は、虫を寄せ付けず、フロントガラスをより清潔に保つ。

□□□ 656

feasible

/ fí:zəbl /

名 feasibility 実現可能性

形 **possible to do (and likely to succeed)**

実行可能な

≒ doable, practicable, viable

⇔ impracticable, impossible, unfeasible

例 The methods suggested by Mr. Burns may not be **feasible** because of high costs.

Burnsさんが提案した方法は、コストが高く実行できない可能性がある。

□□□ 657

ecology

/ ɪkɑ́ːləʤi | -kɔ́l- /

形 ecological 生態(学)の

名 **the relationship between living things and their environment**

生態系

ⓘ 「生態学」という学問の意味もある。

例 There is still much that is unknown about the **ecology** of deep sea creatures.

深海生物の生態についてはまだ不明な点が多い。

□□□ 658

convene

/ kənvíːn /

名 convention 会議、大会

動 **to organize people to come together for a meeting**

～を招集する

ⓘ reconvene(～を再招集する)という語も覚えておこう。

〈con-(共に)+vene(来る)〉

例 The Board of Education was **convened** to discuss potential curriculum changes in the new school year.

教育委員会は、新学年度のカリキュラム変更の可能性について話し合うために招集された。

□□□ 659

amenity

/ əménəti | əmíːn- /

名 **something that makes life more comfortable or easier to live**

生活を快適にするもの[設備]

≒ convenience

ⓘ 通例複数形。

例 Basic **amenities** such as shampoo and toothpaste will be provided to all guests staying with us.

シャンプーや歯磨き粉などの基本的なアメニティがご宿泊のすべてのお客さまに提供されます。

□□□ 660

defer

/ dɪfə́ːr /

動 **to delay something until later**

～を延期する

≒ postpone, put off, put back

例 The city council **deferred** their decision on the new garbage ordinances until the next session.

市議会は、新しいゴミ条例に関する決定を次の会期まで延期した。

661

surcharge

/ sə́ːrtʃɑ̀ːrdʒ /

名 **extra money that you have to pay in addition to the regular price**

追加料金

ⓘ fuel surcharge（燃油サーチャージ）という表現も覚えておこう。

〈sur-（越えて）+charge（請求する）〉

例 Any late rent payments will incur a **surcharge** of $10 per day.

家賃の支払いが遅れると、1日あたり10ドルの追加料金が発生します。

662

paralegal

/ pæ̀rəlíːgl /

名 **someone whose job is to help lawyers**

弁護士補助員、パラリーガル

例 Abdullah Law Firm is looking to hire a new **paralegal** to assist with the influx of cases.

Abdullah法律事務所は、押し寄せる事件を補助するため新しいパラリーガルを雇うことを考えている。

663

reorganize

/ rɪɔ́ːrgənàɪz /

名 reorganization 再編成、改組

動 **to arrange or organize something again or in a different way**

～を再編する

ⓘ イギリス英語ではreorganiseともつづる。

例 Human Resources will be **reorganized** to better manage the tasks performed there.

人事部は、そこで実行される職務をより適切に管理できるよう再編される。

664

skyscraper

/ skáɪskrèɪpər /

名 **a very tall building in a city**

超高層ビル

〈sky（空）+scraper（こするもの）〉

例 The **skyscrapers** of the city can be seen from miles away.

街の高層ビル群は何マイルも離れたところからでも見ることができる。

□□□ 665

waive

/ wéɪv /

動 **to officially state that it is OK to ignore a right, rule, etc.**

〈権利など〉を放棄する

名 waiver 権利放棄（証書）

≒ forgo

例 Baggage fees will be **waived** for all international flights.

国際線の手荷物料金はすべて免除されます。

□□□ 666

yearn

/ jə́ːrn /

動 **to want something very much**

切望する

≒ long

例 Those working at the tax office **yearn** for the peace and quiet that comes after the tax season has ended.

税務署で働く人々は、納税時期が終わったあとに来る平和と静けさを切望している。

□□□ 667

attest

/ ətést /

動 **to show, prove, or state that something is true**

～が正しいと証明する［述べる］

≒ testify

〈at-（～に）+test（証言する）〉

ⓘ attest to（〈調査結果などが〉～を証明する）、attest that...（…ということを証明する）の形で押さえておこう。

例 The CEO **attested** to the accuracy of the company's third quarter report at the hearing.

CEOは公聴会において、同社の第3四半期報告書は正確なものであると述べた。

□□□ 668

clientele

/ klàɪəntél /

名 **all the customers who regularly use the services or products of a business**

［集合的に］顧客、常連客

例 The majority of our **clientele** are women over the age of 50.

わが社の顧客の大部分は50歳以上の女性だ。

669

sanction

/ sǽŋkʃən /

名 **official permission to do or change something**

承認、許可

ⓘ「(国際的な) 制裁措置」という意味もあるが、TOEICで出題されるのは上の意味。

〈sanct (聖なる) +-ion (名詞)〉

例 Changes to the contracts of full-time employees at our firm cannot be made without the **sanction** of the workers' committee.

当社の正社員の契約の変更は、労働者委員会の認可なしに行うことはできません。

670

rigorous

/ rígərəs /

副 rigorously 厳格に、厳しく
名 rigor 厳しさ

形 **very strict, severe, or thorough**

厳格な、厳しい

≒ harsh　⇔ easy, lenient

例 All security software that we release undergoes **rigorous** testing before being sold to the public.

弊社が発売するセキュリティソフトウェアはすべて、販売される前に厳格なテストを受けています。

671

meticulous

/ mətíkjələs /

副 meticulously 入念に、注意深く

形 **very careful about doing something with extreme accuracy and attention to detail**

細部まで気を使った、細心の

≒ detailed　⇔ careless, sloppy

例 We hand sew the dresses of our clients with **meticulous** care.

お客さまのドレスは細心の注意を払って手縫いしています。

672

industrious

/ ɪndʌ́striəs /

副 industriously 勤勉に

形 **very hard working**

勤勉な

≒ diligent

ⓘ industrial (産業の) と混同しないように注意。

例 The workers at Mr. Rossi's factory are known for being very **industrious**.

Rossiさんの工場の労働者は、とても勤勉であることで知られている。

673

tentative

/ téntətɪv /

形 **not definite because it can still be changed**

仮の、試験的な

副 tentatively 仮に、試験的に

≒ provisional

〈tent (試みる) +-ative (形容詞)〉

例 The **tentative** schedule for next month's harassment awareness training will be sent out tomorrow.

来月のハラスメント啓発研修の暫定スケジュールは明日発送されます。

674

narrate

/ nǽreɪt | nəréɪt /

動 **to tell a story**

～を物語る

名 narrator ナレーター
名 narrative 物語

≒ relate

例 The back story of the main character was **narrated** in great detail by the author.

主人公の生い立ちは、作者によって非常に詳細に語られた。

675

disperse

/ dɪspə́ːrs /

動 **to move apart and go away in different directions, or to make people or things do so**

分散する；～を分散させる

名 dispersion 分散、散乱

≒ diffuse, scatter

〈di- (離れた) +sperse (まき散らす)〉

例 The police were called to **disperse** the crowd of protesters in front of city hall.

市役所前の一団の抗議者を解散させるために、警察が呼ばれた。

676

enact

/ ɪnǽkt /

動 **to officially make a law**

〈法律など〉を制定する

名 enactment 制定、立法
形 enactive 立法の

〈en- (～にする) +act (行う)〉

例 A new law has been **enacted** to prohibit the use of cellphones while driving.

運転中の携帯電話の使用を禁止する新しい法律が制定された。

□□□ 677

eminent

/ émənənt /

形 **having more respect or success than a normal person**

著名な

≒ distinguished, renowned, notable

⇔ unknown, ordinary

名 eminence 名声

〈e-（外に）+min（突き出る）+ -ent（形容詞）〉

例 The bank building was designed by an **eminent** architect.

その銀行の建物は、著名な建築家によって設計された。

□□□ 678

sizable

/ sáɪzəbl /

形 **fairly large**

相当大きな

≒ considerable, substantial

ⓘ sizeableとつづることもある。

例 The actress provided a **sizable** donation to the Children's Diabetes Research Club.

その女優は、小児糖尿病研究会に多額の寄付をした。

□□□ 679

precipitation

/ prɪsìpɪtéɪʃən /

名 **rain, water, hail, etc. that falls from clouds**

降水（量）

例 **Precipitation** levels are expected to exceed 200 mm in the next 24 hours.

今後24時間で、降水量は200mmを超えると予想されている。

□□□ 680

overhaul

/ òʊvərhɔ́:l /

動 **to carefully check every part of something and make improvements**

（修理・改善のために）～を徹底的に点検する

≒ revamp, restore

ⓘ「徹底的な点検」という名詞の意味もある。アクセントの位置は/óʊvərhɔ̀:l/。

例 The state has provided funding for old bridges to be **overhauled** in the new fiscal year.

州は新会計年度に、古い橋を点検修理する資金を出した。

681

dormitory

/ dɔ́ːrmətɔ̀ːri | -mɪtəri /

名 **a building on or near a school campus where students live**

寮

ⓘ dormと短縮することもある。

〈dorm（眠る）+-itory（場所）〉

例 All **dormitories** at the university are directly connected to the academic buildings.

その大学の寮はすべて、大学の建物に直接つながっている。

682

proliferation

/ prəlìfəréɪʃən /

動 proliferate 急増する

名 **a sudden increase in something**

急増、拡散

例 There has been a recent **proliferation** of ads for local services on social media.

最近、地域のサービスの広告がソーシャルメディア上で急増している。

683

subordinate

/ səbɔ́ːrdənət /

名 subordination 下位に置くこと

形 **in a position that has less power than someone else**

下位の、位が低い

≒ inferior

⇔ commanding

ⓘ subordinate to（～より下位の）という表現も覚えておこう。

〈sub-（下に）+ordin（命令）+-ate（動詞）〉

例 Those in **subordinate** positions at our company tend to avoid confronting management over small problems.

わが社の地位の低い人々は、小さな問題で経営陣と向き合うことを避ける傾向がある。

名 **a person in a position that has less power than someone else**

部下、下位の人

例 The manager of the editorial department always works to motivate her **subordinates**.

編集部長は常に部下のやる気を引き出すよう努めている。

□□□ 684

rationale

/ ræʃənǽl | -nɑ́:l /

名 **the reasons for something**

論理的根拠

例 The **rationale** of our decision to withdraw our support for the project should be clear.

プロジェクトへの支援を撤回するという私たちの決定の論理的根拠は明確であるべきだ。

□□□ 685

lessen

/ lésn /

形 less より少ない

動 **to reduce something and make it smaller**

～を少なくする、減らす

≒ curtail, decrease, diminish

⇔ increase, expand, extend

ⓘ lesson（レッスン、授業）と同音。

〈less（より少ない）+-en（～にする）〉

例 To **lessen** the burden on our customers, we offer 24-hour customer support.

お客さまの負担を軽減するため、24時間のカスタマーサポートを行っています。

□□□ 686

irrigation

/ ìrəgéɪʃən | ìrə- /

動 irrigate ～を灌漑する

名 **the process of bringing water to land through a manmade system to help crops grow**

灌漑（かんがい）

例 New indoor **irrigation** systems could significantly reduce the carbon footprint of agriculture.

新しい屋内灌漑システムは、農業の二酸化炭素排出量を大幅に削減する可能性がある。

□□□ 687

allot

/ əlɑ́:t | əlɔ́t /

名 allotment 配分、分配

動 **to give someone a certain amount of time, money, etc. in order to do something**

～を割り当てる、配分する

≒ allocate

例 Only a small percentage of people were able to finish the test in the **allotted** time.

決められた時間内に試験を終えられたのはごく一部の人々だけだった。

□□□ 688

detour

/ díːtʊər /

名 ① **the act of going from one place to another following a route that is different or longer than usual**

回り道

≒ deviation

〈de-（離れて）+tour（回る）〉

ⓘ bypass（～を迂回する）という語も覚えておこう。

例 The tour bus took a **detour** around the city to avoid the heavy traffic.

ツアーバスは渋滞を避けるために市内を通らず回り道した。

② **a road that is used by traffic when the usual road cannot be used**

迂回路

例 The construction workers had to set up a **detour** while they did work on the water pipes.

水道管の作業中、建設作業員たちは迂回路を用意する必要があった。

□□□ 689

solicit

/ səlísət /

名 solicitation 懇願、請願

動 **to ask for something, such as money or support**

〈金銭・援助など〉を請う

例 The NGO started a campaign to **solicit** clothing donations.

そのNGOは衣類の寄付を募るキャンペーンを開始した。

□□□ 690

aggravate

/ ǽgrəvèɪt /

名 aggravation 悪化

動 **to make something bad become worse, especially a problem or injury**

～を悪化させる

≒ exacerbate, worsen

〈ag-（～に）+grav（重い）+ -ate（動詞）〉

例 Scratching can **aggravate** the wound, so be sure to use an anti-itch cream.

引っかくと傷を悪化させる可能性があるので、必ずかゆみ止めクリームを使用してください。

□□□ 691

outweigh
/ àʊtwéɪ /

動 **to be greater in weight or value than something else**

～に勝る、～を上回る

≒ eclipse, overshadow

例 The benefits of the new medication we have developed to treat insomnia far **outweigh** the risks.

不眠症の治療のために当社が開発した新薬のメリットは、リスクをはるかに上回る。

□□□ 692

concerted
/ kənsə́ːrtəd /

形 **done together by multiple people or organizations**

協調した、協力して行われる

≒ coordinated

ⓘ 名詞の前で使う。

例 A **concerted** campaign will be needed to reduce misinformation about our company.

当社に関する偽情報を減らすには、組織的な活動が必要になる。

□□□ 693

deduct
/ dɪdʌ́kt /

名 deduction 差し引き（額）、控除（額）
形 deductible 控除できる

動 **to take an amount or part of something away**

～を差し引く、控除する

≒ subtract

〈de-（下に）+duct（導く）〉

例 The payment for any damages will be **deducted** from your deposit when you move out.

何か損害があった場合の費用は、退去時に敷金から差し引かれます。

□□□ 694

remit
/ rɪmít /

名 remittance 送金

動 **to send a payment**

〈代金など〉を送る

〈re-（後ろに）+mit（送る）〉

例 Tuition fees can be **remitted** by check or through a bank transfer.

授業料は小切手または銀行振込で送金できる。

695

alleviate

/ əlíːvièɪt /

名 alleviation 緩和、軽減

動 **to make something easier or less painful**

〈問題・苦痛など〉を軽減する、緩和する

≒ ease, lighten

⇔ worsen

〈al-(～に)+lev(軽い)+-iate(動詞)〉

例 The city planners hope to **alleviate** traffic in the city center by creating more pedestrian friendly streets.

都市設計者は、歩行者にやさしい通りをもっと造ることで、市中心部の交通を緩和できるのではないかと考えている。

696

drowsiness

/ dráuzinəs /

形 drowsy 眠い

名 **the state of feeling sleepy**

眠いこと、眠気

≒ sleepiness

例 Please do not drive after taking this medication, as it can cause **drowsiness**.

眠気を引き起こす可能性があるため、この薬を服用したあとは車を運転しないでください。

697

probationary

/ proubéɪʃənèri | -əri /

名 probation 見習期間

形 **relating to the period of time in which a new employee is watched to see if they are suitable for the job they were given**

試用の、見習い(中)の

i probationary period（見習い期間）の形で押さえておこう。

〈prob(証明する)+-ation(名詞)+-ary(形容詞)〉

例 **Probationary** periods at our company last for three months.

わが社の試用期間は3か月間だ。

698

fluctuate

/ flʌ́ktʃuèɪt /

名 fluctuation 変動、不安定

動 **to change frequently**

変動する、上下する

≒ vary

〈fluc(流れる)+-tuate(動詞)〉

例 The currency exchange rates continue to **fluctuate** within a wide range.

為替レートは引き続き広い振れ幅で変動している。

□□□ 699

envision

/ ɪnvíʒən /

動 to see something in your mind, especially something good that might exist or happen in the future

〈将来起こり得るよいこと〉を思い描く

≒ visualize

例 Our designers will start by helping you to **envision** your dream home.

当社のデザイナーは、お客さまが夢の家を想像するのをお手伝いするところから始めます。

□□□ 700

exhilarating

/ ɪgzílərèɪtɪŋ /

形 very exciting and fun

高揚させる、興奮させる

≒ thrilling

例 Big Flags Amusement Parks have some of the most **exhilarating** attractions in the world.

Big Flags遊園地には、いくつかの世界で最も刺激的なアトラクションがある。

□□□ 701

consolidate

/ kənsɑ́:lədèɪt | -sɔ́lɪ- /

名 consolidation（会社などの）合併；強化

動 ① to combine multiple things, often so that they become more effective, less complicated, etc.

～を集約する、合併する

≒ concentrate, unify

〈con-（共に）+solid（堅い）+ -ate（動詞）〉

例 We have chosen to **consolidate** our subsidiaries to reduce running costs.

ランニングコストを削減するため、わが社は子会社を統合する道を選んだ。

② to make something stronger or more secure, especially a position of power

～を強固にする

≒ strengthen

例 The CEO **consolidated** her power by gaining support from the majority of the company's board members.

CEOは、社の取締役会メンバーの過半数の支持を得ることで、自らの力を強化した。

□□□ 702

clerical

/ klérɪkl /

名 clerk 事務員

形 **relating to office work**

事務の

例 Being assistant to the CEO includes performing basic **clerical** duties on her behalf.

CEO補佐の職務には、CEOに代わり基本的な事務仕事を行うことが含まれる。

□□□ 703

preside

/ prɪzáɪd /

名 president 会長、社長
形 presidential 会長の、社長の

動 **to be in charge of something**

主宰する、議長を務める

〈pre-（前に）+side（座る）〉

例 She was assigned to **preside** over the Multicultural Initiatives Committee meetings.

彼女は多文化イニシアチブ委員会の会議の議長に任命された。

□□□ 704

inaugural

/ ɪnɔ́ːgjərəl /

動 inaugurate ～を開始する
名 inauguration 開始、発足

形 ① **being the first of multiple similar events**

最初の、開始を示す

例 The **inaugural** issue of Key Publishing's new fashion magazine was released yesterday.

Key出版の新しいファッション誌の創刊号が昨日発売になった。

② **happening to officially mark the beginning of something important, such as when a new leader begins their job**

開会の、就任の

例 The new prime minister gave the **inaugural** address after the election results were finalized.

選挙結果が確定すると、新首相は就任演説を行った。

705

turbulence

/ tə́ːrbjələns /

形 turbulent 荒れ狂う；混乱した

名 **sudden, violent movements of air**

（大気の）乱れ、乱気流

ⓘ「（社会の）混乱」という意味もある。

〈turbul（混乱させる）+-ence（名詞）〉

例 We are no longer experiencing any **turbulence**, but we still ask all passengers to keep their seat belts fastened.

乱気流からは出ましたが、乗客の皆さまは引き続きシートベルトを着用しておくようお願いいたします。

706

ordinance

/ ɔ́ːrdənəns /

名 **a law or regulation made by a local government**

条例

〈ordin（命令）+-ance（名詞）〉

例 By **ordinance** of the government, shops will no longer be able to be open past 11:00 P.M.

政府の条例により、午後11時を過ぎると店は営業できなくなります。

707

versatile

/ və́ːrsətl | -tàɪl /

副 versatilely 多才に
名 versatility 多才、汎用性

形 ① **able to be used in many ways**

多目的の、用途の広い

⇔ limited

例 This all-purpose cleaner is not only eco-friendly but also very **versatile**.

この万能クリーナーは環境にやさしいだけでなく、非常に用途が広い。

② **able to do many things**

多才な

例 The position of project manager requires you be a **versatile** individual with great organizational skills.

プロジェクトマネージャーのポジションでは、優れた組織運営スキルを備えた多才な人物である必要があります。

□□□ 708

pivotal

/ pívətl /

形 **very important or necessary**

重要な、決定的な

名 pivot 中心となる人［物］

≒ key, critical ⇔ minor

ⓘ 何かの展開や結果に影響を与えるものについて使うことが多い。例えばa pivotal moment in your careerは「キャリアにおいて転機となる瞬間」というニュアンス。

例 The natural bay there played a **pivotal** role in the development of the city.

そこにある自然の湾は、その都市の発展において極めて重要な役割を果たした。

□□□ 709

exemplary

/ ɪgzémpləri /

形 **good enough to be a model to copy**

模範となる

動 exemplify ～を例示する、例証する

例 Newton's Academy is an **exemplary** school for young scientists.

Newton's Academyは、若い科学者のための模範的な学校だ。

□□□ 710

entail

/ ɪntéɪl /

動 **to include something as a necessary part or result of something else**

～を伴う、必要とする

≒ involve

例 Upgrades to Cowflix's service will not **entail** any additional costs to the consumer.

Cowflixのサービスのアップグレードは、消費者への追加費用を一切必要としない。

□□□ 711

unparalleled

/ ʌnpǽrəlèld /

形 **never matched, seen, or experienced before**

並ぶもののない、類いまれな

≒ unrivaled, unequaled

ⓘ 「他のどんなものよりも優れた」という意味でよく使う。

例 Bigsoft has been **unparalleled** in the automotive industry since its founding.

Bigsoftは創業以来、自動車業界で圧倒的な存在だ。

□□□ 712

collaborate

/ kəlǽbərèɪt /

名 collaboration 共同、協力
形 collaborative 協力的な

動 to work with someone to achieve something

共同作業する、協力する

≒ cooperate

〈col-（共に）+labor（働く）+ -ate（動詞）〉

例 The bookstore regularly **collaborates** with local authors to hold events.

その書店は地元の作家と協力して定期的にイベントを開催している。

□□□ 713

avid

/ ǽvɪd /

副 avidly 熱心に

形 very enthusiastic about something

熱心な、熱烈な

≒ keen, eager

ⓘ 人が日常的に行う活動について使われることが多い。

例 She has been an **avid** reader of fantasy novels since her teenage years.

彼女は10代のころから、ファンタジー小説を熱心に読んでいる。

□□□ 714

bolster

/ bóʊlstər /

動 to support something or make it stronger

～を強化する

≒ strengthen, reinforce, boost

⇔ weaken

例 We were able to **bolster** our relationship with our clients through the weekly newsletter.

わが社は週刊ニュースレターを通して、顧客との関係を強化することができた。

□□□ 715

adjoining

/ ədʒɔ́ɪnɪŋ /

形 next to and connected to something else

隣接した

≒ adjacent

〈ad-（～に）+join（結ぶ）+ing〉

ⓘ ふつう名詞の前で使う。

例 Parking for the conference will be available in the **adjoining** parking structure.

会議用の駐車には、隣接する立体駐車場をご利用ください。

□□□ 716

voucher

/ váʊtʃər /

名 **a document or code that can be used instead of money for a particular purpose**

商品引換券、割引券

≒ coupon, gift certificate

例 The airline offers discount **vouchers** to airport hotels whenever there is a significant delay.

その航空会社は、大幅な遅延があると、いつも空港ホテルの割引券を提供する。

□□□ 717

deter

/ dɪtə́ːr /

形 deterrent 抑止する
名 deterrence 思いとどまらせること、抑止

動 **to make someone decide not to do something**

～に思いとどまらせる、～を抑止する

≒ dissuade

例 The rainy weather **deterred** most people from going to the open-air festival on Sunday.

雨天のため、ほとんどの人は日曜日の野外フェスティバルに行くのを思いとどまった。

□□□ 718

intermission

/ ìntərmíʃən /

名 **a short period of time between parts of a performance where the audience can take a break**

（劇場などの）休憩時間、幕あい

ⓘ イギリス英語ではintervalと言う。

例 There will be a short **intermission** between the second and third acts of the play.

劇の第2幕と第3幕の間に短い休憩時間がある。

□□□ 719

workstation

/ wə́ːrkstèɪʃən /

名 **an area with all the items needed to do your job**

（机・パソコンなどのある）作業スペース

例 Each of our guest rooms has a comfortable **workstation** with wireless Internet connection.

当館のゲストルームには全室、無線のインターネット接続のある快適な作業スペースがあります。

□□□ 720

tutorial

/ t(j)uːtɔ́ːriəl /

名 tutor 個人教師、家庭教師

名 ① a period of teaching and discussion between a tutor and one student or a small group of students, especially at a British university

個別指導

例 Students are expected to adequately prepare for their **tutorials** before attending.

学生は、個別指導を受ける前に十分な準備を行うことが求められる。

② an article, program, video, etc. that teaches someone how to do something

指導書、ソフトウェア

例 By following the **tutorial** carefully, Alice was able to set up her own blog.

チュートリアルに注意深く従うことで、Aliceは自分のブログを立ち上げることができた。

章末ボキャブラリーチェック

次の語義が表す英単語を答えてください。

語義	解答	連番
❶ to combine multiple things, often so that they become more effective, less complicated, etc.	consolidate	701
❷ being the first of multiple similar events	inaugural	704
❸ official permission to do or change something	sanction	669
❹ a period of teaching and discussion between a tutor and one student or a small group of students, especially at a British university	tutorial	720
❺ good enough to be a model to copy	exemplary	709
❻ an area with all the items needed to do your job	workstation	719
❼ to be greater in weight or value than something else	outweigh	691
❽ to support something or make it stronger	bolster	714
❾ fairly large	sizable	678
❿ to carefully check every part of something and make improvements	overhaul	680
⓫ something that makes life more comfortable or easier to live	amenity	659
⓬ a group of people that shares a certain characteristic, such as age or ethnicity	demographic	641
⓭ very strict, severe, or thorough	rigorous	670
⓮ to reduce something and make it smaller	lessen	685
⓯ a sudden increase in something	proliferation	682
⓰ possible to do (and likely to succeed)	feasible	656
⓱ to separate something from another thing	detach	652
⓲ a path for walking, often one outdoors and raised above the ground	walkway	653
⓳ the state of feeling sleepy	drowsiness	696
⓴ relating to the period of time in which a new employee is watched to see if they are suitable for the job they were given	probationary	697

語義	解答	連番
㉑ to send a payment	remit	694
㉒ a document or code that can be used instead of money for a particular purpose	voucher	716
㉓ very exciting and fun	exhilarating	700
㉔ coming one after another without interruption	consecutive	644
㉕ to give someone a certain amount of time, money, etc. in order to do something	allot	687
㉖ very enthusiastic about something	avid	713
㉗ to see something in your mind, especially something good that might exist or happen in the future	envision	699
㉘ very important or necessary	pivotal	708
㉙ to keep someone or something away	repel	655
㉚ to change frequently	fluctuate	698
㉛ very hard working	industrious	672
㉜ to make a collection from various parts	compile	646
㉝ to work with someone to achieve something	collaborate	712
㉞ to move apart and go away in different directions, or to make people or things do so	disperse	675
㉟ someone who is in charge of the things in a museum, zoo, etc.	curator	654
㊱ having a lot of moisture in the air	humid	645
㊲ a building on or near a school campus where students live	dormitory	681
㊳ to include something as a necessary part or result of something else	entail	710
㊴ able to judge the quality of something	discriminating	650
㊵ very careful about doing something with extreme accuracy and attention to detail	meticulous	671
㊶ all the customers who regularly use the services or products of a business	clientele	668
㊷ natural ability to do or learn something	aptitude	642

語義	解答	連番
㊸ to organize people to come together for a meeting	convene	658
㊹ using only the amount of words needed	concise	651
㊺ the relationship between living things and their environment	ecology	657
㊻ to want something very much	yearn	666
㊼ to tell a story	narrate	674
㊽ not definite because it can still be changed	tentative	673
㊾ the number of people who go to an event	turnout	649
㊿ the process of bringing water to land through a manmade system to help crops grow	irrigation	686
51 a law or regulation made by a local government	ordinance	706
52 to delay something until later	defer	660
53 the way the inside of a building or room is decorated	decor	643
54 to officially make a law	enact	676
55 never matched, seen, or experienced before	unparalleled	711
56 a short period of time between parts of a performance where the audience can take a break	intermission	718
57 extra money that you have to pay in addition to the regular price	surcharge	661
58 to show, prove, or state that something is true	attest	667
59 someone whose job is to help lawyers	paralegal	662
60 done together by multiple people or organizations	concerted	692
61 to arrange or organize something again or in a different way	reorganize	663
62 next to and connected to something else	adjoining	715
63 to make someone decide not to do something	deter	717
64 the reasons for something	rationale	684
65 the act of going from one place to another following a route that is different or longer than usual	detour	688

語義	解答	連番
❻❻ to take an amount or part of something away	deduct	693
❻❼ a very tall building in a city	skyscraper	664
❻❽ to ask for something, such as money or support	solicit	689
❻❾ sudden, violent movements of air	turbulence	705
❼⓿ in a position that has less power than someone else	subordinate	683
❼❶ to officially state that it is OK to ignore a right, rule, etc.	waive	665
❼❷ to be in charge of something	preside	703
❼❸ relating to office work	clerical	702
❼❹ able to be used in many ways	versatile	707
❼❺ to agree with someone or have the same opinion as them	concur	648
❼❻ rain, water, hail, etc. that falls from clouds	precipitation	679
❼❼ to make something easier or less painful	alleviate	695
❼❽ having more respect or success than a normal person	eminent	677
❼❾ to make a detailed list of things	itemize	647
❽⓿ to make something bad become worse, especially a problem or injury	aggravate	690

スコア990への道 09

効率的に単語を覚える：接辞に注目

ここからは言い換えを離れ、単語を効率的に覚える方法として、接頭辞・接尾辞や語根に注目する方法をご紹介します。本書では、ところどころに語源情報を入れていますが、こうした情報を知っていると、単語を覚えるのが楽になります。まずは、主な接頭辞・接尾辞を見てみましょう。

■ **re-**（「再び」を意味する）
□ **reschedule**（スケジュールを変更する）
□ **reorganize**（～を再編する）　□ **redesign**（～を再設計する）
□ **recharge**（～を再充電する）　□ **renegotiate**（再交渉する）
□ **rearrange**（～の配置を変える）

■ **pre/pro-**（「前」を意味する）
□ **predict**（～を予測する、予想する）　□ **precedent**（前例、慣例）
□ **preconceived**（（根拠なしに）前から抱いていた）
□ **premature**（時期尚早な）　□ **prejudice**（偏見、先入観）
□ **preregister**（事前登録する）

■ **dis-**（分離・拒絶を表す）
□ **disconnection**（分離・切断）　□ **dissatisfied**（不満な）
□ **discontinued**（中止された）　□ **displeased**（不機嫌な）
□ **displace**（〈人〉を立ち退かせる）　□ **disagree**（意見を異にする）

■ **-able/-ible**（「～できる」を意味する）
□ **memorable**（記憶に残る）　□ **comparable**（匹敵する）
□ **accessible**（利用できる、（価格が）手の届く）
□ **reparable**（修理できる）　□ **debatable**（議論の余地のある）
□ **applicable**（当てはまる、適用できる）

Stage 10

The best view comes after the hardest climb.
最高の景色は最も辛い登りの先にひらける。

721

demolish

/ dɪmɑ́ːlɪʃ | -mɔ́l- /

名 demolition 取り壊し、解体

動 to completely destroy something, especially a building

〈建物など〉を取り壊す

≒ pull down, take down, knock down

例 The historic fish market will be **demolished** later this year and replaced by a shopping mall.

その歴史ある魚市場は今年後半に取り壊され、ショッピングモールになる。

□□□ 722

picturesque

/ pìktʃərésk /

形 charming or pretty, especially similar to what you might see in a painted picture

絵のように美しい

ⓘ アクセントの位置に注意。

〈pictur（描く）+-esque（〜風の）〉

例 The clock tower offers a nice view of the **picturesque** village.

時計塔からは、絵のように美しい村の素晴らしい景色を眺めることができる。

□□□ 723

clutter

/ klʌ́tər /

名 things in a state of disorder

乱雑に散らかったもの

≒ mess

例 The professor's desk is filled with **clutter** whenever he is writing a new book.

新しい本を書いているときはいつも、教授の机の上にはものが散乱している。

動 to fill or cover with many things in an untidy way

〜を散らかす

例 Dr. Abihu always **clutters** his office with books and other important documents.

Abihu博士はいつも、本やその他の重要書類でオフィスを散らかしている。

724

acclaimed

/ əkléɪmd /

形 **talked or written about by a lot of people in a positive way**

高く評価された

動 acclaim ～を称賛する

〈ac-（～に）+claim（大声で叫ぶ）+-ed〉

例 Morris Murphy's **acclaimed** movie *Roar* will be showing in theaters again in August.

高い評価を得たMorris Murphyの映画『Roar』は、8月に再び劇場で上映される。

725

auditor

/ ɔ́ːdətər /

名 **someone whose job is to check financial records**

（会計）監査人

名 audit 監査

例 Please make space in the office for the external **auditor** to work for the next few weeks.

今後数週間、外部監査人が働くためのスペースをオフィスに作ってください。

726

astute

/ əst(j)úːt /

形 **clever and quick to see what needs to be done in a situation**

抜け目のない、鋭い

≒ shrewd

例 Mr. Schneider made some **astute** remarks about the current financial crisis in his most recent book.

Schneiderさんは最新刊の中で、現在の金融危機についていくつか鋭い所見を述べている。

727

stapler

/ stéɪplər /

名 **a small tool used to put staples in paper**

ホチキス、ステープラー

ⓘ stapleには「ホチキスの針」という名詞のほか、「～をホチキスでとじる」という動詞の意味もある。

例 The secretary ordered new **staplers** for the office because the old ones were broken.

古いホチキスが壊れていたので、秘書はオフィスに新しいものを注文した。

□□□ 728

insulation

/ ìnsəléɪʃən /

動 insulate ～を断熱［防音］する

名 the act of stopping heat, cold, sound, etc. from passing through

断熱、防音、絶縁

ⓘ「断熱材、絶縁体」という物質を指す意味もある。

例 The building's high-quality **insulation** greatly reduces heating costs in the winter.

その建物の高品質断熱は、冬の暖房費を大幅に削減する。

□□□ 729

relinquish

/ rɪlíŋkwɪʃ /

名 relinquishment（地位・権力などの）放棄、譲渡

動 to (reluctantly) give up something, such as power, control, or rights

〈権力・地位など〉を放棄する

≒ let go

例 Ms. Takahashi was forced to **relinquish** her role as director once she turned 65.

Takahashiさんは65歳になると取締役を辞任せざるを得なかった。

□□□ 730

carpool

/ kɑ́ːrpùːl /

名 an arrangement where a group of people drive each other to places

自動車の相乗り

ⓘ「車に相乗りする」という動詞の意味もある。

例 The friends agreed a **carpool** would be the best way to save money.

友人たちは、相乗りがお金を節約する最善の方法であることで意見が一致した。

□□□ 731

veterinarian

/ vètərənéəriən /

形 veterinary 獣医の

名 someone whose job is to provide medical care to animals

獣医

ⓘ 省略形のvetも使われる。

例 His love for animals motivated him to become a **veterinarian**.

動物に対する愛情が、彼が獣医になる動機となった。

□□□ 732

rebate
/ ríːbeɪt /

名 ① **an amount of money paid back to you by a business because you purchased a specific item or service**

割り戻し、割引

例 Receive a $50 **rebate** when you make any purchase over $500.

500ドルを超えるお買い物をされたお客さまは、50ドルの割り戻しをお受け取りください。

② **an amount of money that is paid back to someone**

払い戻し

≒ reimbursement

例 The accountant said the mechanic was entitled to tax **rebates**.

会計士は、その整備士には税金の払い戻しを受ける権利があると言った。

□□□ 733

subsidize
/ sʌ́bsədàɪz /

名 subsidy 助成金、補助金

動 **to pay part of the cost of something**

～に補助金を与える

ⓘ イギリス英語ではsubsidiseともつづる。

〈sub-（下に）+sid（座る）+ -ize（動詞）〉

例 The company has **subsidized** projects involving biodiversity conservation and forest restoration.

その企業は、生物多様性の保護と森林再生に関わるプロジェクトに補助金を提供してきた。

□□□ 734

conglomerate
/ kənglɑ́ːmərət | -glɔ́m- /

名 **a large business made up of different companies that have joined together**

複合企業

例 The energy **conglomerate** suffered a substantial loss last quarter.

そのエネルギー複合企業は、この前の四半期にかなりの損失を出した。

□□□ 735

outlay

/ áʊtlèɪ /

名 **the money you have to spend, especially to start a new project**

経費、支出

≒ expenditure, expense

例 The initial **outlay** of the software upgrades was quite high, but it greatly lowered expenses long-term.

ソフトウェアのアップグレードの初期費用はかなり高額だったが、長期的には大幅に費用が削減された。

□□□ 736

nominal

/ náːmənl | nɔ́m- /

副 nominally 名目上は

形 **very small in amount**

ごくわずかな

≒ trifling

〈nomin(名前)+-al(形容詞)〉

ⓘ「名目上の」という意味もある。

例 The gallery has supported young artists by renting out its exhibit space for a **nominal** fee.

そのギャラリーは展示スペースをわずかな料金で貸し出して、若手アーティストを支えてきた。

□□□ 737

nutritious

/ n(j)u(ː)tríʃəs /

名 nutrition 栄養
名 nutrient 栄養素
形 nutritional 栄養に関する

形 **full of substances that are good for your body and allow it to stay healthy**

栄養のある

≒ nourishing

〈nutri(養う)+-tious(形容詞)〉

例 Millets have gradually received attention as a highly **nutritious** food rich in proteins.

雑穀は、タンパク質に富む栄養価の非常に高い食品として、徐々に注目を集めている。

□□□ 738

choreographer

/ kɔ̀ːriáːgrəfər | kɔ̀riɔ́g- /

名 choreography 振り付け

名 **a person whose job is to plan the steps and movements in a dance**

振付師

例 The internationally acclaimed **choreographer** started his career as a dancer in a small ballet company.

国際的に高く評価されているその振付師は、小さなバレー団のダンサーとしてキャリアをスタートした。

□□□ 739

forfeit

/ fɔ́ːrfət /

名 forfeiture （財産などの）没収、（権利などの）喪失

動 to lose or give up something, usually as a penalty

～を（罰として）失う、没収される

〈for-（離れて）+feit（行う）〉

例 All **forfeited** lands will be offered at a public sale and sold to the highest bidder.

没収されたすべての土地は、公売で提供され、最高入札者に売却される。

□□□ 740

sleek

/ slíːk /

副 sleekly 滑らかに

形 smooth and stylish

しゃれた、こぎれいな、滑らかな

例 The couple found a stylish and **sleek** velvet sofa at a thrift shop.

その夫婦は、中古品店でおしゃれで滑らかなベルベット生地のソファを見つけた。

□□□ 741

stopover

/ stáːpòuvər | stáp- /

名 a short stay in a place between parts of a journey, especially a long plane journey

（空の旅での）途中降機、（鉄道の）途中下車

≒ layover

ⓘ stop over（途中下車する）という表現も覚えておこう。

例 The direct flight costs more than the connecting flight with two **stopovers**, but it takes much less time.

直行便は2度の途中滞在のある乗り継ぎ便よりも費用はかかるが、所要時間はずっと短い。

□□□ 742

fabricate

/ fǽbrɪkèɪt /

名 fabrication 製造

動 to make or produce something, especially some kind of equipment or goods

～を製作する、組み立てる

≒ construct

例 Up to 90% of the small homes are **fabricated** in a factory before being shipped to the building site.

小型住宅の最大90%は、建築現場に運ばれる前に工場で製造される。

□□□ 743

demeanor

/ dɪmíːnər /

名 **a person's appearance or behavior that shows what their character is like to others**

振る舞い、態度

≒ attitude, manner

ⓘ 通例単数形。イギリス英語ではdemeanourとつづる。

例 Ms. Fischer has a quiet **demeanor**, so I was surprised to hear her give such a lively speech.

Fischerさんの態度は静かなので、そんなに熱のこもったスピーチをしているのを聞いて驚いた。

□□□ 744

reminiscent

/ rèmənísnt /

名 reminiscence 想起、回想

形 **reminding you of something**

思い出させる、想起させる

例 The small lakeside village is **reminiscent** of a scene from a fairy tale.

湖畔のその小さな村は、おとぎ話の場面を彷彿とさせる。

□□□ 745

centerpiece

/ séntərpìːs /

名 ① **a decoration that is placed at the center of a table**

(テーブルの中央に置かれる) 装飾物

ⓘ イギリス英語ではcentrepieceとつづる。

例 The tables at the restaurant were decorated with beautiful **centerpieces** made of roses.

そのレストランのテーブルは、バラでできた美しい装飾品で飾られていた。

② **the most important or noticeable part of something**

呼び物になるもの、目玉

例 The scene of their first encounter at the beach is the film's **centerpiece**.

ビーチでの彼らの最初の出会いのシーンが、その映画の目玉だ。

746

reimburse

/ rìːɪmbə́ːrs /

名 reimbursement 返済、払い戻し

動 **to pay someone back money they have spent**

〈人〉に（費用を）返済する

≒ compensate

例 You need to provide receipts for all business trip expenses in order to get them **reimbursed**.

すべての出張費の払い戻しを受けるには、領収書を提出してください。

747

stipulate

/ stípjəlèɪt /

名 stipulation 規定、契約

動 **to require or itemize requirements as part of an agreement**

～を（契約などの条件として）明記する

例 Working hours, wages, and benefits are **stipulated** in the employment contract.

労働時間、賃金および福利厚生は労働契約書に明記されている。

748

custodian

/ kʌstóʊdiən /

名 **a person whose job is to clean and take care of a building**

管理人

≒ janitor

例 If you see anything suspicious, please notify the **custodian** of the building.

何か不審なものを見かけた場合は、建物の管理人にお知らせください。

749

obstruct

/ əbstrʌ́kt /

名 obstruction 妨げ、妨害すること

動 **to block a road, entrance, etc. so that someone or something cannot get through**

～をふさぐ、妨げる

≒ hinder

〈ob-（反して）+struct（建てられた）〉

例 Large trees toppled by the storm **obstructed** the street this morning.

嵐で倒れた大きな木々が、今朝、道をふさいでいた。

□□□ 750

rapport

/ ræpɔ́ːr /

名 **a close relationship where people understand each other's feelings**

（信頼）関係

ⓘ フランス英語から。tは発音しない。

例 Her latest book details how to develop a **rapport** with your customers.

彼女の最新刊には、顧客との信頼関係の築き方が詳述されている。

□□□ 751

dilute

/ daɪlúːt /

名 dilution 希釈

動 **to make a liquid less strong by adding another liquid to it, such as water**

〈液体など〉を希釈する

〈di-（離れて）+lute（洗う）〉

例 Ginger ale can be made by **diluting** this ginger syrup with soda water.

このジンジャーシロップを炭酸水で割ると、ジンジャエールが作れる。

□□□ 752

elucidate

/ ɪlúːsədèɪt /

動 **to make something difficult easier to understand**

～を説明する、解明する

≒ clarify, clear up

〈e-（外に）+luc（光）+-idate（動詞）〉

例 The professor answered questions after the lecture to further **elucidate** the more complex concepts.

より複雑な概念をさらに明らかにするため、その教授は講義のあと質問を受けつけた。

□□□ 753

attire

/ ətáɪər /

名 **clothing**

服装

≒ apparel, dress

ⓘ clothingよりもフォーマルな語。

例 Participants are asked to wear proper **attire** for mountain climbing.

参加者は登山に適した服装を着用してください。

□□□ 754

optimal

/ ɑ́:ptəml | ɔ́p- /

形 **best or most effective**

最適の、最善の

≒ optimum

例 The party planning committee is still searching for an **optimal** venue for the event.

パーティー企画委員会は、イベントに最適な会場をまだ探している。

□□□ 755

worsen

/ wə́:rsn /

動 **to (make someone or something) get worse**

悪化する；～を悪化させる

≒ deteriorate

⇔ improve, enhance, upgrade

〈worse (より悪い) +-(e)n (～にする)〉

例 Traffic congestion in the center of the city is **worsening** year after year.

市中心部の交通渋滞は、年々ひどくなっている。

□□□ 756

inclement

/ ɪnklémənt /

名 inclemency (天候の) 荒れ模様

形 **unpleasantly wet, cold, etc.**

〈天候が〉荒れ模様の

例 The summer festival was postponed due to **inclement** weather.

夏祭りは悪天候のために延期された。

□□□ 757

canopy

/ kǽnəpi /

名 **a roof supported by posts that can sometimes be attached to the side of a building**

天幕、テント

ⓘ 類義語としてshelter、awningがPart 1に登場する。

例 On weekends, visitors to the park set up **canopies** for large gatherings.

週末になると、公園を訪れる人々は大規模な集まりのためにテントを設置する。

□□□ 758

upheaval

/ ʌphíːvl /

名 **a major change, especially one that causes problems**

大変動、激変

例 The stock market crash caused economic **upheaval** in the country.

株式市場の暴落は、その国の経済に大混乱を引き起こした。

□□□ 759

adjourn

/ əʤə́ːrn /

名 adjournment 休会、休廷

動 **to stop something for a short period of time**

〈会議など〉を中断する、一時休止する

i 通例、法廷など公的な会合に使われる。

〈ad-（～に）+journ（日）〉

例 The meeting will be **adjourned** at noon for lunch and then resumed at 2:00 P.M.

会議は昼食のため正午に中断され、午後2時に再開される。

□□□ 760

expedite

/ ékspədàɪt /

形 expeditious 迅速な
副 expeditiously 迅速に

動 **to make something happen more quickly**

～を促進する、早める

≒ speed up

〈ex-（外に）+ped（足）+-ite（動詞）〉

例 Joe made an inquiry to see if there was a way to **expedite** the delivery.

Joeは配達を早める方法があるか確認するために問い合わせた。

□□□ 761

miscellaneous

/ mìsəléɪniəs /

形 **including many different things that are not related**

種々雑多な

≒ diverse, various

i 名詞の前で使う。

例 The collection consists of **miscellaneous** crafts that the painter has collected from around the world.

コレクションは、その画家が世界中から集めた種々雑多な工芸品から成っている。

□□□ 762

provisional

/ prəvíʒənl /

副 provisionally 一時的に、暫定的に

形 currently existing but likely or able to be changed

暫定的な、仮の

≒ temporary, conditional ⇔ permanent

例 As the itinerary for the company retreat is still **provisional**, it may be subject to change.

社員旅行の旅程表はまだ暫定的なものなので、変更の可能性があります。

□□□ 763

crosswalk

/ kró(:)swɔ̀:k | krós- /

名 a marked place on a road where vehicles must stop to let people walk across

横断歩道

ⓘ イギリス英語ではzebra crossingと言う。

例 Construction workers are painting the white stripes of a **crosswalk**.

建設作業員が横断歩道の白いしま模様を塗っている。

□□□ 764

commensurate

/ kəménsərət | -ʃərət /

形 matching or similar to something in amount or size

見合った、相応の

≒ same, equal, proportionate

〈com- (共に) +mens (測る) +-ur (名詞) +-ate (形容詞)〉

例 Employees are paid salaries **commensurate** with their duties and responsibilities.

従業員は業務と職責に見合った給与を支払われる。

□□□ 765

obligatory

/ əblígətɔ̀:ri | əblígətəri /

動 obligate ～に義務を負わせる
名 obligation 義務

形 required by a law or rule

義務的な、強制的な

≒ compulsory, mandatory

〈ob- (～に) +lig (結びつける) +-atory (形容詞)〉

例 Donation is not **obligatory** but purely optional.

寄付は義務ではなく、まったくの任意です。

766

proprietor

/ prəpráɪətər /

名 **a person who owns a business or property**

オーナー、経営者

≒ owner

例 The **proprietor** of the souvenir shop showed me her treasured earthenware that was not for sale.

その土産物屋のオーナーは、売り物ではない秘蔵の陶器を見せてくれた。

□□□ 767

exhaustive

/ ɪgzɔ́ːstɪv /

形 **including every possibility**

徹底的な、余すところのない

≒ comprehensive

例 Here is an **exhaustive** list of the most stunning beaches around the area.

これが、この地域で最も美しいビーチを網羅したリストです。

□□□ 768

reciprocal

/ rɪsíprəkl /

形 **describing a relationship between two people or groups who agree to help each other**

相互の、互恵の

≒ mutual

例 The best business relationships are built on **reciprocal** trust.

最高のビジネス関係は、相互の信頼の上に築かれる。

□□□ 769

condominium

/ kɑ̀ːndəmíniəm | kɔ̀n- /

名 **an apartment building where each section is owned by the person living there but public spaces are shared**

分譲マンション

ⓘ condoという略語も使われる。

例 The security guards regularly patrol the premises of the **condominium**.

警備員が定期的にその分譲マンションの敷地を巡回している。

770

influx

/ ínflʌ̀ks /

名 **the sudden arrival of many people or things**

流入、殺到

≒ flood

⇔ outflow, exodus

〈in-（中に）+flux（流れる）〉

例 They hired temporary staff to handle the **influx** of orders during the holiday season.

彼らはホリデーシーズンの注文の殺到に対処するため、臨時スタッフを雇った。

771

lodging

/ lɑ́:ʤɪŋ | lɔ́ʤ- /

名 **a place that you can stay for a short period of time, usually used by people who are traveling**

宿泊場所

例 The family-run inn has a good reputation as an affordable **lodging** near the lake.

その家族経営の宿は、湖に近い手ごろな料金の宿泊場所として定評がある。

772

understaffed

/ ʌ̀ndərstǽft | -stɑ́:ft /

形 **not having enough people working**

人手不足の

≒ short-staffed

⇔ overstaffed

例 The office has been **understaffed** for a long time, and employee morale is down.

その会社は長い間人手不足で、従業員の士気が下がっている。

773

proficiency

/ prəfíʃənsi /

形 proficient 熟達した

名 **the ability to do something well because of training and/or practice**

熟達、高い技能

例 **Proficiency** in general office software is necessary for the job.

その仕事には、一般的なオフィス用ソフトウェアに習熟していることが必要だ。

□□□ 774

imperfection
/ ìmpərfékʃən /

名 **a small part that is bad**

欠点、欠陥

≒ flaw

例 Final products are thoroughly checked for **imperfections**.

最終製品は欠陥がないかどうか徹底的に確認される。

□□□ 775

managerial
/ mæ̀nədʒíəriəl /

名 manager 経営者、管理者

形 **relating to the job of a manager**

経営[管理](者)の

例 More than three years of **managerial** experience is not required but preferable.

3年以上の管理職経験があることが、必須ではないが望ましい。

□□□ 776

perishable
/ périʃəbl /

形 **((especially of food)) likely to go bad quickly**

〈食品が〉傷みやすい、日持ちしない

⇔ nonperishable

〈per-(完全に)+ish(行く)+-able(できる)〉

i spoil(～を腐らせる、駄目にする)という語も覚えておこう。

例 The store sells **perishable** food at a discounted price a few hours before it closes.

その店は、日持ちしない食品を閉店の数時間前から割引価格で販売している。

□□□ 777

vantage
/ vǽntɪdʒ | vɑ́ːn- /

名 **a position from which you can see something**

見晴らしのよい地点

i vantage pointの形で使われることが多い。「有利な立場」という抽象的な意味でも使われる。

例 The rooftop bar is an excellent **vantage** point for taking in the city skyline.

屋上のバーは、街のスカイラインを眺めるのに絶好の場所だ。

□□□ 778

upscale

/ ʌ́pskèɪl /

形 **relating or appealing to people with a lot of money and from a high social class**

上流階級(向け)の、高所得者(向け)の

≒ luxurious

例 **Upscale** restaurants are opening one after another in the area.

その地域には高級レストランが次々とオープンしている。

□□□ 779

overcharge

/ òʊvərtʃɑ́ːrdʒ /

動 **to charge someone more money than should be charged**

〈人〉に過剰な代金を要求する

⇔ undercharge

例 I'm afraid I was **overcharged**, as this month's bill was far higher than usual.

今月の請求額がいつもよりはるかに高かったので、過剰に請求されているのではないかと思うのですが。

□□□ 780

troupe

/ trúːp /

名 **a group of performers who work together**

一座、一団

例 The dance **troupe** will perform the traditional dances at the cultural event on the 16th.

その舞踏団は16日、文化イベントで伝統舞踊を披露する。

□□□ 781

strenuous

/ strénjuəs /

副 strenuously 精力的に

形 **needing or showing a lot of energy or effort**

骨の折れる、きつい

≒ demanding, arduous

例 The majestic view from the summit is the reward for a long and **strenuous** hike.

山頂からの雄大な眺めは、長く骨の折れるハイキングのごほうびだ。

□□□ 782

deviate

/ dí:vièɪt /

名 deviation 逸脱
形 deviant 逸脱した

動 to do something that is different, or to be different than usual

それる、逸脱する

≒ diverge

〈de- (離れて) +via (道) +-te (動詞)〉

例 Our company's executives were not afraid to attempt a business model that **deviated** from the norm.

わが社の経営陣は、標準から逸脱したビジネスモデルを試みることを恐れなかった。

□□□ 783

deplete

/ dɪplí:t /

名 depletion 減少；枯渇

動 to use up something

～を激減させる、枯渇させる

⇔ restore

〈de-(離れて)+plete(満ちた)〉

ⓘ 受け身で使われることが多い。

例 A pop-up window warns you when the battery is 90% **depleted**.

バッテリーが90%消耗すると、ポップアップウィンドウが警告を表示します。

□□□ 784

keynote

/ kí:nòʊt /

名 the most important idea or part of a book, speech, event, etc.

基調、主眼

例 Bestselling author Varun Gupta will give the **keynote** address at the conference.

会議では、ベストセラー作家のVarun Guptaが基調講演を行う。

□□□ 785

bilateral

/ baɪlǽtərəl /

形 involving two groups or countries

二者間の

〈bi- (2) +lateral (側面の)〉

例 The **bilateral** trade agreement will greatly benefit companies in both countries.

その二国間貿易協定は、両国の企業に大きな利益をもたらす。

786

inception

/ ɪnsépʃən /

名 the start of something, especially some kind of organization, program, etc.

始まり、開始

≒ beginning

⇔ end, conclusion

例 The President delivered her inauguration speech at the **inception** of her term.

大統領は任期の始まりに就任演説をした。

787

forestall

/ fɔːrstɔ́ːl /

動 to stop something from happening or to make something happen later

～を未然に防ぐ

≒ hold off

例 Restoration teams were deployed to **forestall** the deterioration of the historic bridge.

その歴史的価値のある橋の劣化を防ぐため、改修チームが派遣された。

788

objectionable

/ əbʤékʃənəbl /

形 not good and likely to offend people

人を不快にさせる、不愉快な

≒ offensive

例 The program is designed to keep out **objectionable** Internet content.

そのプログラムはいかがわしいインターネットコンテンツを遮断するよう設計されている。

789

stagnant

/ stǽgnənt /

動 stagnate 沈滞する、停滞する
名 stagnation 停滞；不景気

形 not progressing or changing

停滞した、不振な

≒ static

例 The marketing team hit upon an innovative advertising campaign to revive the **stagnant** sales of the new product.

マーケティングチームは、新製品の販売不振を逆転させる斬新な広告キャンペーンを思いついた。

□□□ 790

prospectus

/ prəspéktəs /

名 **a document that describes something and is sent to people to convince them to become involved in it**

趣意書；目論見書

例 Please do not invest until you have reviewed the full **prospectus** and financial statements of the company.

会社の目論見書と財務諸表全体を確認するまで、投資は控えるべきです。

□□□ 791

testimonial

/ tèstəmóuniəl /

名 **a written or spoken statement that says that you used something and liked it**

推薦文、利用者の声

i 就職活動における「推薦状」、功労に対する「感謝状」などの意味もある。

〈test（証言する）+(i)moni（結果）+-al（名詞）〉

例 Placing client **testimonials** on the checkout page increased sales by 3%.

注文確定ページにお客さまの声を掲載すると、売り上げが3%増加した。

□□□ 792

revamp

/ rìːvǽmp /

動 **to change something to make it look or be better**

～を刷新する､改良する

≒ renovate

例 The company has contracted a highly respected PR firm to help **revamp** its image.

その会社はイメージ刷新のため、高く評価されている広告会社と契約を結んだ。

□□□ 793

liquidate

/ líkwɪdèɪt /

名 liquidation（会社の）清算；（証券などの）換金

動 **to sell a business, property, etc. in order to pay off debts**

〈会社〉を清算する；〈資産など〉を換金する

例 The retail giant needed to **liquidate** some of its assets to reduce debt.

その小売大手は負債を減らすために、いくつかの資産を換金しなければならなかった。

794

wheelbarrow

/ wíːlbæ̀roʊ /

名 a large open container with one or two wheels at one end and handles at the other that is used to move heavy loads of rocks, dirt, etc.

手押し車、一輪車

例 This month's expenses included a new **wheelbarrow** for the building's gardener.

今月の費用には、建物の造園業者用の新しい手押し車が含まれていた。

795

succinct

/ səksíŋkt /

副 succinctly 簡潔に

形 clearly expressed using few words

簡潔な

≒ concise

⇔ wordy

例 The professor's explanation of his hypothesis was very **succinct** and clear.

その教授による仮説の説明は、とても簡潔で明瞭だった。

796

congenial

/ kəndʒíːniəl /

形 very friendly and easy to be around

人当たりのよい、感じのよい

≒ cordial, gracious, pleasant

例 Most people would prefer to work in a supportive work environment with **congenial** coworkers.

たいていの人は、感じのよい同僚がいる協力的な職場環境で働くほうを好むだろう。

797

prerequisite

/ prìːrékwəzɪt /

名 something you are required to do or to have before doing something else

必須条件、前提条件

≒ requirement

例 Please note that successful completion of the basic course is one of the **prerequisites** to enter the advanced level.

基礎コースをきちんと修了していることが、上級レベルに進むための必須条件の一つであることにご注意ください。

798

ailing

/ éɪlɪŋ /

動 ail ～を苦しめる

形 **having problems and getting weaker over time**

〈会社・経済が〉不振の、不調の

例 The new management team announced a major restructuring plan to aid the **ailing** company.

新しい経営チームは、不振にあえぐ会社を救うための大規模な再建計画を発表した。

□□□ 799

procrastinate

/ prəkrǽstɪnèɪt | prəʊ- /

名 procrastination 先延ばし

動 **to delay doing something that should be done because you do not want to do it**

やるべきことを先延ばしにする

≒ put off

例 The deadline is so close that there's no time left to **procrastinate**.

締切りが迫ってきているので、先延ばしにする時間は残されていない。

□□□ 800

revitalize

/ rìváɪtəlaɪz /

動 **to give something new life, health, or energy**

～を再興する、活性化させる

≒ reinvigorate, refresh, rejuvenate

ⓘ イギリス英語ではrevitaliseともつづる。

〈re-（再び）+vit（生きている）+-alize（動詞）〉

例 The city solicited ideas from the public on how to **revitalize** the neighborhood around the station.

その市は、駅周辺地区をどう活性化したらよいかについて一般からアイデアを募った。

章末ボキャブラリーチェック

次の語義が表す英単語を答えてください。

語義	解答	連番
❶ very small in amount	nominal	736
❷ an arrangement where a group of people drive each other to places	carpool	730
❸ including many different things that are not related	miscellaneous	761
❹ relating or appealing to people with a lot of money and from a high social class	upscale	778
❺ involving two groups or countries	bilateral	785
❻ to make something difficult easier to understand	elucidate	752
❼ to delay doing something that should be done because you do not want to do it	procrastinate	799
❽ clothing	attire	753
❾ someone whose job is to provide medical care to animals	veterinarian	731
❿ an amount of money paid back to you by a business because you purchased a specific item or service	rebate	732
⓫ the ability to do something well because of training and/or practice	proficiency	773
⓬ to charge someone more money than should be charged	overcharge	779
⓭ a major change, especially one that causes problems	upheaval	758
⓮ to make a liquid less strong by adding another liquid to it, such as water	dilute	751
⓯ reminding you of something	reminiscent	744
⓰ the act of stopping heat, cold, sound, etc. from passing through	insulation	728
⓱ a close relationship where people understand each other's feelings	rapport	750
⓲ something you are required to do or to have before doing something else	prerequisite	797
⓳ the sudden arrival of many people or things	influx	770

語義	解答	連番
⓴ an apartment building where each section is owned by the person living there but public spaces are shared	condominium	769
㉑ to sell a business, property, etc. in order to pay off debts	liquidate	793
㉒ things in a state of disorder	clutter	723
㉓ to block a road, entrance, etc. so that someone or something cannot get through	obstruct	749
㉔ not having enough people working	understaffed	772
㉕ to pay part of the cost of something	subsidize	733
㉖ a person whose job is to plan the steps and movements in a dance	choreographer	738
㉗ to (make someone or something) get worse	worsen	755
㉘ to use up something	deplete	783
㉙ very friendly and easy to be around	congenial	796
㉚ a person whose job is to clean and take care of a building	custodian	748
㉛ a marked place on a road where vehicles must stop to let people walk across	crosswalk	763
㉜ a person who owns a business or property	proprietor	766
㉝ smooth and stylish	sleek	740
㉞ to stop something for a short period of time	adjourn	759
㉟ matching or similar to something in amount or size	commensurate	764
㊱ to give something new life, health, or energy	revitalize	800
㊲ a roof supported by posts that can sometimes be attached to the side of a building	canopy	757
㊳ a large open container with one or two wheels at one end and handles at the other that is used to move heavy loads of rocks, dirt, etc.	wheelbarrow	794
㊴ not good and likely to offend people	objectionable	788
㊵ to make something happen more quickly	expedite	760
㊶ to lose or give up something, usually as a penalty	forfeit	739

語義	解答	連番
㊷ to make or produce something, especially some kind of equipment or goods	fabricate	742
㊸ to (reluctantly) give up something, such as power, control, or rights	relinquish	729
㊹ 《especially of food》 likely to go bad quickly	perishable	776
㊺ a small part that is bad	imperfection	774
㊻ to require or itemize requirements as part of an agreement	stipulate	747
㊼ currently existing but likely or able to be changed	provisional	762
㊽ to completely destroy something, especially a building	demolish	721
㊾ to do something that is different, or to be different than usual	deviate	782
㊿ to pay someone back money they have spent	reimburse	746
51 clever and quick to see what needs to be done in a situation	astute	726
52 unpleasantly wet, cold, etc.	inclement	756
53 talked or written about by a lot of people in a positive way	acclaimed	724
54 including every possibility	exhaustive	767
55 a group of performers who work together	troupe	780
56 relating to the job of a manager	managerial	775
57 needing or showing a lot of energy or effort	strenuous	781
58 a decoration that is placed at the center of a table	centerpiece	745
59 someone whose job is to check financial records	auditor	725
60 having problems and getting weaker over time	ailing	798
61 a person's appearance or behavior that shows what their character is like to others	demeanor	743
62 describing a relationship between two people or groups who agree to help each other	reciprocal	768
63 a place that you can stay for a short period of time, usually used by people who are traveling	lodging	771

語義	解答	連番
❻❹ the most important idea or part of a book, speech, event, etc.	keynote	784
❻❺ to change something to make it look or be better	revamp	792
❻❻ full of substances that are good for your body and allow it to stay healthy	nutritious	737
❻❼ required by a law or rule	obligatory	765
❻❽ clearly expressed using few words	succinct	795
❻❾ the money you have to spend, especially to start a new project	outlay	735
❼⓪ the start of something, especially some kind of organization, program, etc.	inception	786
❼❶ best or most effective	optimal	754
❼❷ to stop something from happening or to make something happen later	forestall	787
❼❸ charming or pretty, especially similar to what you might see in a painted picture	picturesque	722
❼❹ a large business made up of different companies that have joined together	conglomerate	734
❼❺ a written or spoken statement that says that you used something and liked it	testimonial	791
❼❻ a document that describes something and is sent to people to convince them to become involved in it	prospectus	790
❼❼ a short stay in a place between parts of a journey, especially a long plane journey	stopover	741
❼❽ a position from which you can see something	vantage	777
❼❾ not progressing or changing	stagnant	789
❽⓪ a small tool used to put staples in paper	stapler	727

スコア990への道 10

効率的に単語を覚える：語根に注目

続いて、語根をいくつか見ていきましょう。接頭辞・接尾辞や語根を意識して単語を覚えるようにすると、たとえ知らない単語に出会っても、想像力が働いて意味を捉えられるようになります。

■ **clus/clud/clos**（「閉じる」を意味する）
□ **exclusive**（高級な、排他的な）
□ **enclose**（～を同封する）
□ **disclosure**（公開、発表）
□ **conclude**（～だと結論を下す、断定する）

■ **pli/ple/ply/ploy**（「折る」を意味する）
□ **deploy**（〈部隊など〉を配備する）
□ **explicit**（明白な、はっきりした）
□ **applicable**（当てはまる、適用できる）
□ **duplicate**（複製の；～を複製する）
□ **replicate**（〈実験など〉を再現する、検証する）

■ **val/vail**（「強い、価値がある」を意味する）
□ **valuable**（高価な）
□ **valid**（有効な）
□ **prevail**（普及する）
□ **evaluate**（～を評価する）
□ **equivalent**（〈数量などが〉同等の）

■ **simil/simul/semb**（「似た、同じ」を意味する）
□ **simultaneous**（同時の）
□ **resemble**（似る）
□ **assemble**（～を組み立てる）
□ **similar**（同様の）

この索引には本書で取り上げた約2,150語句がアルファベット順に掲載されています（コラムは除外）。数字はページ番号を示しています。色の数字は語句が見出し語として収録され、黒い数字は派生語や類義語・反意語などとして収録されていることを表しています。

A

B

C

D

E

F

G

H

I

J

K

L

M

N

O

P

Q

R

S

V

W

Y

［編者紹介］

ロゴポート

語学書を中心に企画・制作を行っている編集者ネットワーク。編集者、翻訳者、ネイティブスピーカーなどから成る。おもな編著に『英語を英語で理解する 英英英単語® 初級編／中級編／上級編／超上級編』、『中学英語で読んでみる イラスト英英英単語®』、『最短合格！英検®1級／準1級 英作文問題完全制覇』、『最短合格！ 英検®2級英作文&面接 完全制覇』、『出る順で最短合格！ 英検®1級／準1級 語彙問題完全制覇［改訂版］』、『出る順で最短合格！ 英検®準1級～3級単熟語EX』（ジャパンタイムズ出版）、『TEAP単熟語Grip1500』（アスク出版）、『英検®準1級スーパーレベル問題集――本番がラクに解けるようになる』（テイエス企画）、『分野別IELTS単語集』（オープンゲート）などがある。

［監修者紹介］

濵﨑潤之輔（はまさき じゅんのすけ）

大学・企業研修講師、書籍編集者。早稲田大学政治経済学部経済学科卒業。これまでにTOEIC® L&Rテスト990点（満点）を70回以上取得。現在は、明海大学、獨協大学、早稲田大学EXTなど、全国の大学で講師を務めるかたわら、ファーストリテイリングや楽天銀行、SCSK（住友商事グループ）、エーザイ、オタフクソースといった大手企業でもTOEIC® L&Rテスト対策の研修を行う。主催するTOEIC® L&Rテスト対策セミナーはいつも満席になるほどの人気で、スコアアップだけでなく英語力も身につけたい多くの人たちに支持されている。

著書に『改訂版 中学校3年間の英語が1冊でしっかりわかる本』、『改訂版 中学校3年間の英語が1冊でしっかりわかる問題集』（かんき出版）、『TOEIC® L&Rテスト990点攻略 改訂版』、『TOEIC® L&Rテスト 目標スコア奪取の模試』（旺文社）、『聞くだけでTOEIC® TESTのスコアが上がるCDブック』（アスコム）、『はじめて受けるTOEIC®テスト パーフェクト入門』（桐原書店）などがあり、監修した書籍も含めると累計70万部以上の実績を誇る。

ブログ：独学でTOEIC990点を目指す！：http://independentstudy.blog118.fc2.com/

Twitterアカウント：@HUMMER_TOEIC

Instagramアカウント：junnosuke_hamasaki

英語を英語で理解する

英英英単語®
TOEIC® L&Rテスト スコア990

2021年12月5日　初版発行

編　者　ジャパンタイムズ出版 英語出版編集部&ロゴポート

監修者　濵﨑潤之輔

発行者　伊藤秀樹

発行所　株式会社 ジャパンタイムズ出版
〒102-0082 東京都千代田区一番町2-2
一番町第二TGビル 2F
電話　050-3646-9500（出版営業部）
ウェブサイト　https://jtpublishing.co.jp/

印刷所　日経印刷株式会社

Printed in Japan　ISBN 978-4-7890-1802-9

本書のご感想をお寄せください。
https://jtpublishing.co.jp/contact/comment/